I Maestri

Caravaggio

con un saggio di
Mina Gregori

Electa

Gli apparati di questo volume
sono a cura di Stefano Zuffi

Fotografie di Antonio Quattrone

© 1994 **Electa**, Milano
Elemond Editori Associati
Terza ristampa riveduta e corretta

Nota dell'Editore

Le opere più significative del Caravaggio, dopo il saggio storico critico introduttivo, vengono presentate in un atlante costruito come una sequenza filmica, analizzate procedendo dalla visione generale d'insieme a un progressivo ravvicinamento sino a dimensione naturale.

Nella successione delle immagini viene presentata prima l'opera nel suo insieme, con le notizie tecniche, commentate da una selezione di testi interpretativi di diversi storici che, brano per brano, restituiscono anche indirettamente la fortuna critica della pittura del Caravaggio, nei suoi motivi più significativi.

A ogni intero segue quindi la presentazione dettagliata dei nuclei dell'opera pittorica, con "avvicinamenti" di media misura sino a "frammenti" a grandezza naturale, riprodotti cioè in scala 1 a 1, identici dunque alla relativa porzione del dipinto.

Mentre gli interi e gli "avvicinamenti" sono graficamente segnalati da un contorno bianco, i particolari a grandezza naturale sono presentati senza margine, refilati al vivo.

Attraverso questa metodica lettura al vero dei settori del quadro, il lettore si pone praticamente nello stesso rapporto che ebbe in origine l'artista con la sua creazione e in stretta dialettica con la visione complessiva può coglierne dall'interno la poetica, godere senza diaframmi le qualità cromatiche, le "bravure", gli ardimenti formali e tecnici, la consistenza materica, persino le precarietà fisiche della superficie dipinta e del suo supporto.

Data infatti la sistematica omogeneità di ripresa e di riproduzione, il lettore potrà dedurre dalle diversità di resa anche i differenti stati di conservazione e, per le opere estreme, la minore accuratezza di preparazione dovuta alle disgraziate vicende esistenziali del pittore.

Per una più approfondita comprensione di questa eccezionale "lettura" dei capolavori caravaggeschi, che vuole esaltare la modernità eccezionale della pittura classica, il volume è corredato di servizi informativi che completano la monografia: una biografia articolata, rigorosamente documentata, e proprio per questo sfrondata di tutte quelle sovrastrutture romanzesche che hanno appesantito la storia del pittore; un regesto figurato di tutte le opere ragionevolmente riferite al pittore, secondo una successione cronologica che riflette lo stato attuale degli studi secondo la sintesi che ne ha voluto dare Mina Gregori; situazione degli studi cui rinvia, sempre per punti essenziali, la nota bibliografica che completa il volume.

Sommario

Preliminari a una rilettura del Caravaggio
Mina Gregori

Michelangelo Merisi detto il Caravaggio nacque probabilmente a Milano alla fine di settembre del 1571 e lasciò la Lombardia dopo il maggio del 1592 quando aveva già compiuto vent'anni. E, poiché a quell'età la formazione degli artisti era compiuta, dobbiamo pensare che abbia avuto il tempo per fare molte esperienze, fissando nella memoria, che dovette avere prodigiosa, le immagini che il suo occhio aveva captato. Del periodo lombardo sappiamo poco, ma un contratto del 1584 attesta la scelta del pittore di origine bergamasca e formatosi in parte a Venezia, Simone Peterzano, con cui si impegnava a stare quattro anni per apprendere l'arte della pittura.

Degli altri quattro anni prima della partenza nulla sappiamo di certo oltre le frequenti presenze a Caravaggio registrate dai documenti e le vendite a più riprese dell'eredità paterna e di quella materna. È probabile che, pur continuando l'apprendistato, come sembrerebbe rivelare una nota di Giulio Mancini (circa 1617-1621), egli abbia avuto la possibilità di fare altre esperienze in Lombardia e forse a Venezia, dove, secondo un altro biografo seicentesco, Giovan Pietro Bellori (1672), sarebbe fuggito in seguito al coinvolgimento in vicende delittuose. Una circostanza accertabile è il rapporto della sua famiglia con il marchese di Caravaggio che gli permise di essere probabilmente introdotto ancora molto giovane presso altri signori e di trovare lungo tutta la sua esistenza l'aiuto e la protezione di membri di questa famiglia e di altre imparentate con essa, i Borromeo, i Colonna e i Doria.

Della sua attività in Lombardia non abbiamo tracce. Ne accenna il solo Bellori parlando di ritratti, affermazione che in senso lato può riferirsi alla pittura anche di mezze figure, come quelle che conosciamo dei primi anni romani del Caravaggio, e di nature morte. I legami del Merisi con la Lombardia, indicati da Roberto Longhi fin dal 1929, sono un campo d'indagine la cui importanza appare sempre più evidente. La rivoluzione artistica del Caravaggio partì da principi naturalistici – l'empirismo derivato dal Foppa, l'interesse per la percezione degli effetti della luce e dell'ombra, la pittura diretta e dal modello vivo, i toni grigi –, che eran stati elaborati, modificando profondamente le sollecitazioni acquisite da Venezia, nella parte orientale della regione. Quest'area comprendeva Brescia, patria del Romanino, del Moretto e del Savoldo (che trascorse gran parte della sua vita a Venezia) e Bergamo dove si vedevano le opere di Lorenzo Lotto e quelle del ritrattista Giovan Battista Moroni, il pittore di Albino allievo e collaboratore negli anni giovanili del Moretto. La zona d'influenza di queste tendenze comprendeva anche Lodi con Callisto Piazza, allievo del Buonvicino, e Cremona, centro di una scuola pittorica che raggiunse il suo apice nel Cinquecento e fu versata sia nel sofisticato linguaggio manieristico, sia in audaci esperimenti naturalistici che con Antonio e Vincenzo Campi, dagli anni sessanta intensamente attivi anche a Milano, appaiono una vera e propria precoce riforma, preludio delle innovazioni del Merisi.

Tuttavia, la rivoluzione del Caravaggio presenta una maggiore complessità di implicazioni culturali e di idee, che interessano anche l'ambiente milanese, a cui era legato il suo maestro Peterzano e dove egli crebbe e fu avviato all'arte. Il Caravaggio fece propria la tendenza, sollecitata in Lombardia da Leonardo, a indagare i fenomeni della natura, a studiare dal vivo i moti dell'animo e le azioni nella loro istantaneità, a cogliere le diversità e le abnormità fisionomiche con un interesse che non è da confondere con la capziosità manieristica, e a confrontarle mediante il 'contrapposto'. La sua concezione riguardo all'imitazione naturale spinta fino all'illusione presuppone, oltre al processo della pittura in presa diretta e col modello davanti, anche altri mezzi, come l'artificio prospettico che egli seppe usare, grazie a studi compiuti in Lombardia, con sottigliezza e maestria, smentendo l'accusa che la critica accademica gli rivolse fino all'Ottocento di non avere cultura. Per questi aspetti la sua pittura si ricollega alla concezione illusionistica della prospettiva risalente all'antichità e adottata dal Mantegna, con un'operazione umanistica di estremo rigore e che ebbe ampi sviluppi in Italia settentrionale. Anche l'assunzione di queste tendenze da parte di Giulio Romano negli affreschi mantovani che il Caravaggio dovette conoscere direttamente e studiare anche per l'aspetto della rappresentazione concitata delle azioni e delle espressioni, e la sopravvivenza in Lombardia nel corso del Cinquecento della costruzione prospettico-geometrica basata sul punto di vista reale ebbero importanti riflessi nella sua opera e un'applicazione nelle figure fortemente scorciate dell'unico dipinto murale del Caravaggio, il soffitto con *Giove, Nettuno e Plutone* del Casino già del cardinal del Monte, poi Ludovisi.

Le prime opere che l'artista dipinse a Roma sono tele di dimensioni modeste con una mezza figura, dove il significato simbolico d'obbligo si coniuga mirabilmente con la presa diretta dal naturale. Per qualche aspetto, esse indicano il collegamento con il Peterzano e la frequentazione di sofisticati circoli artistici milanesi, nonché la conoscenza degli esperimenti naturalistici elaborati in area cremonese nella cerchia delle Anguissola e nella bottega dei Campi. Per il *Ragazzo che monda un frutto*, noto attraverso copie e ricordato da Giulio Mancini tra i primi dipinti eseguiti dopo il suo arrivo a Roma, sono stati proposti vari significati, come uno dei cinque sensi, il gusto, o una delle stagioni, o allusioni morali ovvero cristologiche. Ma la presentazione del giovane contro il fondo grigio, abbigliato con una semplice camicia dove i bianchi dovevano essere resi con variazioni molto sottili, sembra assimilarsi anche alle mezze figure di giovani che suonano o compiono azioni domestiche, dipinte alla fine del Cinquecento in area settentrionale e che, come negli esempi di Annibale Carracci, corrispondono al nuovo interesse per l'imitazione naturale in soggetti senza soggetto ispirati alle citazioni di Plinio.

Le allusioni simboliche del cosiddetto *Bacchino malato* della Galleria Borghese come autoritratto, l'opera a cui fa riferimento il Baglione (1642), ci riconducono anch'esse all'ambiente milanese e a un dipinto della Pinacoteca di Brera dove il pittore e teorico Gian Paolo Lomazzo si è rappresentato acconciato con un largo cappello cinto da una corona di foglie. Nei frutti del Bacco, attributi della divinità, e nella coroncina di edera vista con lucida obiettività si conferma l'interesse del Caravaggio per le cose naturali. Nel viso girato in un accenno di sorriso la complessità psicologica fino all'ambiguità e la morbidezza pittorica rappresentano il superamento del precedente di Sofonisba Anguissola e della vena realistica di Vincenzo Campi e forse presuppongono la conoscenza di qualche testa di Annibale Carracci. L'intensità tonale dei capelli corvini sulla fronte e l'ombra portata di un ciuffo ci rappresentano la dualità dell'arte del Caravaggio, che impressionò per la potenza pittorica (in linea con il venetismo diffuso di quegli anni) e versata nell'attitudine percettiva lombarda che sposta la visione senza incertezza sul versante naturalistico. Anche altri aspetti più sofisticati sono di matrice milanese, il vestito all'antica adorno di nastri e la posa artificiosa che ha un sicuro precedente negli affreschi del Peterzano a Garegnano (1578-1582). La pratica del dipingere senza disegno preliminare ricordata dai biografi si scorge negli occhi non allineati tra loro.

Nel *Fruttaiolo*, anch'esso nella Galleria Borghese, ritornano la sofisticata ricercatezza della presentazione e la sprezzatura nel rendere le parti anatomiche con una pittura che non è stata preceduta da una preparazione disegnativa. Lo si vede chiaramente nell'impostazione del collo troppo largo sulla clavicola, mentre i fasci dei muscoli che vi si irraggiano sono segnati con pennellate alla brava e non fuse col resto dell'incarnato. A questa tecnica, derivata dal Peterzano, il Caravaggio ricorrerà anche in altri di-

pinti, ad esempio nella *Coronazione di spine* di Vienna. La canestra che il venditore tiene tra le braccia ha già le caratteristiche della visione globale e pulsante che ritroveremo nella *Canestra* ambrosiana.

Questi due dipinti provengono dal sequestro del 1607 delle robe del Cavalier d'Arpino ed è probabile che si datino nei mesi in cui questi aveva accolto il lombardo a dipingere per lui fiori e frutti. A quel periodo risalgono la prima redazione della *Buona ventura* oggi alla Capitolina e i *Bari* di Fort Worth, entrambi entrati nella collezione del cardinal del Monte, il suo primo protettore romano. Documenti dei primi esperimenti del Merisi nel campo della pittura a più figure, questi due dipinti presentano il taglio di tre quarti alla veneziana che sarà uno dei suoi preferiti, mentre l'atmosfera chiara e luminosa nella quale agiscono i personaggi contribuisce al risultato arcaizzante suggerito *in primis* dallo schema semplificato, giocato sulle superfici di colori netti e contrastanti e corrispondenti alla lettura del Bellori, che scorgeva nella pittura del lombardo "quella schietta maniera di Giorgione, con oscuri temperati". Tali caratteristiche, al pari delle incantevoli rievocazioni nei *Bari* da Lorenzo Lotto, dal Romanino e dal Savoldo, favorite dai costumi alquanto ritardati che indossano i giocatori, sono da leggersi in chiave antimanieristica. Alla novità di queste opere contribuisce la rappresentazione umoresca e maliziosa degli "affetti", da considerarsi un aspetto sofisticato del naturalismo caravaggesco, allusivo, al pari dei costumi, del significato morale del tema e da vedersi probabilmente in relazione con la commedia dell'arte.

Le indagini autoptiche e di laboratorio su questi dipinti hanno fornito indicazioni preziose sul modo di lavorare del Caravaggio, l'uso, accertato nella *Buona ventura*, di una tela già parzialmente dipinta, la preparazione grigia, che risulta impiegata nelle opere anteriori al periodo del Monte da situarsi a partire dal 1594-1595, i numerosi cambiamenti dovuti alla mancanza di disegno preliminare. Le incisioni usate come "disegno sommario e provvisorio" o di tipo ornamentale fanno la loro prima comparsa. La successione dell'intervento del pittore dal fondo verso il primo piano, riprendendo un modello per volta o lo stesso modello in momenti successivi, secondo una pratica costante del pittore, appare chiarissima, così che le campiture si sovrappongono contribuendo a ottenere l'illusione del vero.

L'ingresso del Caravaggio nel palazzo del cardinal del Monte corrisponde al periodo che può definirsi giovanile maturo, un periodo che possiamo pensare relativamente felice. Il cambia-

mento di ambiente si riflette nei dipinti, nella novità dei soggetti, nelle ricerche di ordine artistico. La musica e gli istrumenti
musicali (che saranno in seguito rappresentati anche dai suoi seguaci) entrano nel suo repertorio con la *Musica di alcuni giovani*,
oggi al Metropolitan Museum di New York, il primo dipinto,
secondo i biografi, eseguito in casa del cardinale, e con le due redazioni del *Suonatore di liuto* appartenute rispettivamente al marchese Vincenzo Giustiniani (ora a San Pietroburgo) e al del
Monte (in collezione newyorkese). Le composizioni appaiono
più complesse e la trattazione dei temi passa dalla rappresentazione realistica in abiti moderni alla rievocazione antichizzante, e
in questa chiave vanno lette le figure nude della *Musica di alcuni
giovani*. Il pittore si cimenta in scorci anatomici visti e non dise-
gnati secondo la tradizione lombarda, come nel braccio e nella
mano che regge lo spartito di uno dei suonatori del *Concerto*, e
nelle impeccabili costruzioni degli istrumenti musicali che atte-
stano la conoscenza dei trattati cinquecenteschi di prospettiva.

Al primo tempo del periodo del Monte risalgono probabilmente anche le *Stigmate di San Francesco* del museo di Hartford
che verosimilmente appartenne al cardinale, il più antico esempio a noi noto di pittura religiosa del Caravaggio. Il soggetto,
decifrato da Pamela Askew (1969), è rappresentato sul monte
della Verna e l'oscurità rivela in lontananza il compagno frate
Leone immerso nel sonno e alcuni pastori intorno a un fuoco. Al
di là della verosimiglianza e dell'aderenza al testo, identificabile
nella descrizione di San Bonaventura, questo primo esempio indica l'importanza che il Merisi attribuì al tema religioso. L'opera
è densa di significati relativi a Francesco-alter Christus, secondo
un caratteristico processo di sovrapposizione di immagini che
porterà più tardi il pittore lombardo, rimeditando sulla figura
del Santo d'Assisi nel quadro di Cremona, a imprimervi nel viso
una sorta di autoritratto, ciò che fa pensare che anche nel quadro
di Hartford egli abbia rappresentato nel volto del Santo le sembianze di una persona a lui nota. Nella scelta del momento in cui
Francesco riceve le stigmate e nell'assenza delle ferite nelle mani
il pittore ha voluto privilegiare l'esperienza spirituale piuttosto
che la sofferenza fisica. Per tale aspetto quest'opera costituisce la
premessa per la rappresentazione interiorizzata della *Conversione
di San Paolo* nel dipinto supremo di Santa Maria del Popolo. La
posizione inusitata di Francesco disteso, invaso dall'esperienza
mistica, fa sì che essa diventi una metafora della morte, tema dominante del barocco dal Lanfranco al Bernini, artisti che certamente conobbero quest'opera rivoluzionaria. Nello sfondo not-

turno dove i pastori attendono al fuoco e il tramonto infiamma il cielo dei suoi bagliori, il Caravaggio rendeva attuali le perlustrazioni dell'oscurità compiute a Venezia nel Cinquecento dal bresciano Gerolamo Savoldo, al quale anche Adam Elsheimer avrebbe rivolto ben presto la sua attenzione, a Venezia, prima dell'aprirsi del nuovo secolo.

In un altro soggetto religioso che si collega agli stessi anni 1595-1596, il *Riposo nella fuga in Egitto* della Galleria Doria, ritroviamo, come negli altri dipinti profani già ricordati, l'attenzione alle note musicali trascritte sullo spartito, con un'esattezza che ha consentito di identificarne l'autore. La freschezza dell'involucro luminoso avvolge le figure e il paesaggio più nitidamente che nei primi dipinti, la composizione complessa accoglie i ricordi cinquecenteschi delle trattazioni di Lorenzo Lotto.

Gli studi sull'espressione compiuti in questi anni fanno pensare che il pittore lombardo si preparava a cimentarsi nella rappresentazione dei moti e dell'azione, premessa per la pittura di storia. Questo traguardo gli avrebbe consentito di uscire dal rango ritenuto inferiore della pittura di genere e di essere riconosciuto pittore universale. I primi esperimenti si notano nel *Ragazzo morso dal ramarro*, di cui conosciamo due versioni autografe alla National Gallery di Londra e alla Fondazione Longhi. Tra i due esemplari si nota una certa distanza cronologica. Il dipinto di Londra, il primo nel tempo, appare legato ancora all'aura un po' incantata della *Musica di alcuni giovani* nel prevalere della sorpresa sul dolore nel viso del giovane. Il secondo, che il Caravaggio ha eseguito copiando fedelmente se stesso, esprime una reazione più forte, mista di dolore e di rabbia, mentre la fronte corrugata e gli altri tratti del viso svelano l'intento di rappresentare un moto subitaneo, studiato dal naturale. Tali ricerche, che lo avrebbero portato a orientare la rappresentazione dei moti in modo anomalo, risalivano agli insegnamenti di Leonardo, ben noti in Lombardia.

Fedele a questi pensieri che venne via via sviluppando, il Merisi dipinse la testa della *Medusa*, colta un attimo dopo la morte e prima che si dissolva il moto di orrore e di dolore: quasi in veduta frontale, con la bocca aperta, come in una maschera classica (uno stilema che il pittore usa anche in opere più tarde), e forse pensando alla funzione espressiva affidata ai mascheroni dai manieristi settentrionali. La tappa successiva di questi esperimenti sarà la *Giuditta e Oloferne* della Galleria Corsini. Ricerche di diverso ordine, da situarsi nel tardo periodo del Monte, furono rivolte dal Merisi a problemi formali, a superare le difficoltà del suo metodo fondato sulla negazione del disegno. In alcuni dipinti, in cui si ravvisa lo stesso modello maschile e che fanno gruppo intorno alla seconda versione della *Buona ventura* e al *Bacco* degli Uffizi, il Caravaggio riuscì a rappresentare nei volti una nuova pienezza e regolarità, e si può concludere che in questa fase il pittore guardava alla ritrattistica di Scipione Pulzone e di Jacopo Zucchi (un nome che è già stato indicato anche da Claudio Strinati). Che in questi come in altri casi il Merisi aggiustasse e regolarizzasse l'iniziale ripresa dal modello è dimostrato anche dal confronto del *Bacco* degli Uffizi con le radiografie che ne mettono in evidenza la diversità.

A questo punto è necessario tornare di nuovo sulla questione delle conoscenze prospettiche possedute dal Caravaggio – un interesse certamente sollecitato dall'ambiente del cardinal del Monte – e del ruolo svolto dalla prospettiva illusionistica nel suo metodo naturalistico. Per quanto riguarda il primo aspetto del problema, la scoperta del murale con *Giove, Nettuno e Plutone* che il pittore eseguì nel Casino acquistato dal cardinale (oggi Ludovisi) alla fine del 1596, ha permesso di accertare la sua conoscenza delle concezioni prospettiche lombarde del tardo Cinquecento. Per raggiungere l'illusione necessaria a ottenere l'evidenza della verità l'artista usò quasi certamente piccoli artifici a inganno, così da abolire la separazione tra lo spazio pittorico e quello reale e coinvolgere il riguardante.

Passando all'esemplificazione. Se si presta attenzione a questo aspetto della pittura caravaggesca che si manifesta e quasi esplode nella prima redazione del *San Matteo* per San Luigi dei Francesi (1602) e negli stessi anni ci offre altri esempi, si può meglio capire perché lo Scannelli nel 1657 abbia potuto parlare, con iperbole spagnolesca, di "tremenda naturalezza" per la *Cena in Emaus* oggi a Londra, un'espressione che riesce quasi incomprensibile nella fattispecie se non si procede anche a una lettura prospettica dell'opera. La tendenza a proiettare la figura dal fondo verso lo spazio reale, corrispondente al modo di procedere dipingendo che sappiamo usato dal Caravaggio, e a sfondare illusionisticamente i limiti della figurazione, vi è spinta a un livello insuperato.

Ma procediamo nell'ordine cronologico.

Giunti agli ultimi anni del Cinquecento, tutto nell'attività del Merisi sembra convergere verso la commissione dei due laterali di San Luigi dei Francesi (1599). In questa fase la situazione dello studio della luce e delle ombre appare in via di trasformazione e di fatto sarà l'istrumento principale del cambiamento più pro-

fondo e radicale che si sia verificato nella sua pittura.

Il gioco chiaroscurale su larghe superfici e in un aere ancora chiaro che il pittore perlustra con uno sguardo infallibile collega tra di loro tre grandi opere databili allo scorcio del Cinquecento, il *Sacrificio d'Isacco* della collezione Barbara Piasecka Johnson di Princeton, la *Conversione della Maddalena* dell'Institute of Arts di Detroit, e il *San Giovanni* della Cattedrale di Toledo. Questa fase, a cui appartiene anche il *Davide* del Prado, è il preludio della trasformazione registrata dal Bellori nel *Suonatore di liuto* riferendosi probabilmente alla redazione di New York, e nella *Santa Caterina* Thyssen, quando il Caravaggio cominciò "ad ingagliardire gli oscuri". Nel *Sacrificio d'Isacco*, opera di cui si conoscevano prima del ritrovamento numerosissime copie, la partitura è contrassegnata dalla figura del patriarca serrata tra la luce e l'ombra, e da ampie zone di penombra trasparente. A una visione attenta ai valori e che indugia ancora su particolari colti perspicuamente corrisponde una narrazione priva di dramma e che contravviene all'iconografia tradizionale anche nella rappresentazione dell'angelo che non appare in volo ed è vestito in abiti moderni.

Nel *San Giovanni Battista* della Cattedrale di Toledo ritroviamo il clima idillico, la stasi meditativa, la lucidità quasi iperrealistica della rappresentazione dei *naturalia*, che sono ancora il fulcro, come nei quadri giovanili, della visione naturalistica del Caravaggio. Nel terzo dipinto, la *Conversione della Maddalena*, l'illuminazione si concentra con un probabile significato simbolico sulla figura della protagonista, abbigliata in un fastoso abito che rievoca la pittura veneziana, a cui sembra far riferimento anche il verde del drappo appoggiato allo specchio, di una tonalità che si trova nel Cinquecento a Venezia e a Ferrara e che, come il vestito della cortigiana, conferisce un'aura arcaizzante al dipinto. Anche quest'opera offre allo studioso numerosissime indicazioni tecniche, la preparazione lasciata in vista, la presenza delle incisioni con diverse finalità, e di pennellate bene evidenti che appartengono all'abbozzo sottostante.

Con il *Suonatore di liuto* e la *Santa Caterina* Thyssen il Bellori, l'osservatore più attento della evoluzione stilistica del Caravaggio, ha fatto cominciare, come si è detto, la trasformazione che porterà alle realizzazioni della cappella in San Luigi dei Francesi. Più svolta della *Conversione della Maddalena*, la maestosa *Santa Caterina* è impegnata in una trama energica di luce e d'ombra. Non siamo lontani probabilmente dalla *Giuditta e Oloferne*, il primo esempio nel corpus caravaggesco di pittura di storia per l'azione violenta rappresentata nella sua istantaneità, nei gesti e nelle reazioni psicofisiche osservati sul modello vivo.

Anteriore forse di poco al *Martirio di San Matteo*, la *Giuditta e Oloferne* è il primo manifesto della concezione empirica e perciò attuale del Caravaggio relativamente alla pittura di storia. Un'immanenza che si pone fuori della storia: "pittura affatto senza attione" la giudicherà il Bellori. Era noto, inoltre, che egli aveva rivoluzionato la prassi della pittura negando la necessità del disegno e affermando la priorità dello studio dal naturale. Con questi principi sovvertiva l'ordine tradizionale, che imponeva una prima elaborazione grafica, lo studio di modelli artistici, una verifica storica, dunque, prima della ripresa sul naturale. Le radiografie e le riflettografie della *Giuditta e Oloferne* hanno dato una conferma clamorosa del metodo descritto del Caravaggio.

La commissione ottenuta grazie al cardinal del Monte per i laterali della cappella Contarelli con le *Storie di San Matteo*, la cui datazione, appoggiata a documenti, va fissata dal luglio 1599 al luglio 1600, è la prima grande affermazione a Roma delle riforme iniziate in Italia settentrionale. Tra le reazioni suscitate dalla loro presentazione al pubblico vi fu anche quella di vedere nella *Chiamata di San Matteo*, come avrebbe affermato Federico Zuccari, "il pensiero di Giorgione". Di fatto, sia l'una che l'altra delle due tele dovettero apparire opere di grande potenza coloristica, anomale anche per questo aspetto nell'ambiente romano. Queste opere rappresentano, in un'alternanza intenzionale e legata ai soggetti, rispettivamente il legame con il primo periodo nella visione ancora filtrata, e la risoluzione di una crisi le cui tracce sono registrate nelle lastre radiografiche. Il *Martirio di San Matteo* fu rifatto tre volte con radicali cambiamenti anche nella scala delle figure, confermando le difficoltà incontrate dal pittore nel rappresentare una scena violenta e popolosa e la ricerca di nuove soluzioni. La scelta dell'oscurità che imponeva una sostanziale trasformazione anche della condotta pittorica, non più affidata al filtro della "diligenza", è legata all'esigenza di collegare le singole azioni e le singole persone in uno stile concitato, probabilmente nella consapevolezza che questi problemi erano già stati proposti e avviati a soluzione negli ultimi anni dell'attività di Raffaello.

Che nel momento di presentarsi al difficile ambiente romano con le prime commissioni pubbliche il Caravaggio si sia inserito consapevolmente nella dinamica delle idee di antica estrazione che regolavano la pittura è ampiamente dimostrabile. A questo fine è opportuno cercare una spiegazione del sostanziale divario che rende così diverse (tanto da aver fatto dubitare della loro datazione ravvicinata) la prima e la seconda redazione della *Caduta di San Paolo* come quelle del *San Matteo e l'angelo*, opere che si collocano subito dopo i laterali Contarelli tra il 1600 e il 1602.

Il caso della doppia versione della *Caduta di San Paolo* si spiega con il rifiuto del committente, considerando che in un primo tempo il Caravaggio aveva scelto la soluzione più facile e ovvia per questo soggetto. Forse il committente trovò troppo ingombrante e movimentata per lo spazio ristretto della cappella la scena concitata del Cristo sostenuto dall'angelo e che si rivolge a Saulo, provocando l'impennata del cavallo e il turbamento dello scudiero impennacchiato.

Il Merisi tornò sul soggetto in altra chiave. Più aderente al testo paolino, abolì l'apparizione un po' ingenua del Cristo per lasciare al suo posto soltanto qualche raggio di una luce soprannaturale. Sostituì l'azione con la calma silenziosa e l'assenza di movimento, ma in luogo di trasformarsi in un'immagine estatica stereotipa, la conversione di Saulo diventa un inimitabile esempio di pittura naturalistica. Il cavallo occupa gran parte dello spazio, non già col movimento ma con il grande corpo dal pelo pezzato. Né l'animale, né lo scudiero, in cui si riconosce facilmente lo stesso vecchio modello che impersona uno degli apostoli nell'*Incredulità di San Tommaso* di Potsdam, danno segno di turbamento. Come il pittore ci fa intendere, il miracolo si è svolto senza manifestazioni esteriori e il segnale è pervenuto soltanto *in interiore homine*.

In consentaneità con la storia di Saulo anche il *Martirio di San Pietro*, che sostituì una prima redazione perduta, è rappresentato senza concitazione drammatica e senza il concorso del pathos antico. La calma meditativa e stoica che è il tono dominante dell'approccio del pittore al tema (e la bellezza aggiustata del mantello ripiegato sul terreno ne è quasi un simbolo) si tramuta nell'occhio moderno che registra il destino umano con infinita tristezza.

Altri furono probabilmente i motivi che portarono alla sostituzione del primo *San Matteo e l'angelo*. Forse pensando che il dipinto doveva rimpiazzare la scultura del Cobaert, il Caravaggio aveva dato un forte rilievo al vecchio che impersona il Santo con una corta veste all'antica e le gambe e i piedi nudi, uno dei quali si proietta, per accrescere l'illusione, verso il riguardante. L'opera, un altro vertice della vertiginosa potenza dell'occhio caravaggesco, di nuovo in perlustrazione nella luce trasparente, non fu col-

Sacrificio di Isacco, 1597-1598 circa
olio su tela, 116 × 173 cm
Princeton (New Jersey), collezione
Barbara Piasecka Johnson.

Coronazione di spine,
1601-1602
olio su tela, 178 × 125 cm
Prato, Cassa di Risparmio
di Prato.

locata sull'altare perché il Santo dovette apparire troppo vero e privo di decoro nella sua rustica vecchiezza e l'angelo che gli guida la mano troppo confidenziale. Confrontando il quadro (purtroppo distrutto a Berlino durante la guerra), acquistato dal banchiere Vincenzo Giustiniani, l'altro grande protettore del Merisi, con la seconda versione ancora sull'altare, appare evidente quali erano stati ritenuti i punti deboli del primo dipinto. La luce non è più così nitida e rivelatrice, le figure affiorano da un fondo scuro e atmosferico, mentre la fattura è più pittorica e fusa e meno "lombarda". Il decoro del Santo è salvato dalla lunga veste e dalle cadenze classicheggianti dei panneggi. L'illusione a cui il pittore non rinuncia si limita al libro aperto e sporgente dal tavolo e al panchetto in bilico e che sta per cadere. L'angelo appare in volo a debita distanza.

Dell'interesse suscitato dalla pubblica presentazione dei laterali di San Luigi dei Francesi i primi anni del Seicento ci offrono numerose e in parte prevedibili notizie, alcune delle quali ritrovate recentemente. Il suo maggiore protettore è ora Vincenzo Giustiniani, che contribuì certamente a fargli ottenere nel giugno del 1601 la commissione per la *Morte della Vergine* e che già doveva possedere almeno il *Suonatore di liuto* oggi a San Pietroburgo e forse la *Fillide* andata distrutta a Berlino. L'*Incredulità di San Tommaso* di Potsdam proviene dalla sua raccolta ed è databile intorno al 1601 per le affinità stilistiche con l'*Emaus* di Londra. Quest'opera apre la serie dei temi cristologici – storie della Passione e *post mortem* – rappresentati a tre quarti di figura secondo uno schema diffuso nella pittura veneziana del Cinquecento. A questo tempo risale probabilmente anche una grande *Natura morta* identificata recentemente.

Fu il Giustiniani a ritirare la prima edizione rifiutata del *San Matteo*, ma il dipinto più sensazionale del Merisi in suo possesso era l'*Amor vincitore* databile al 1602-1603. L'*Incredulità di San Tommaso* e queste due opere hanno una caratteristica in comune, che forse rivela la preferenza del Giustiniani: la luminosità trasparente, a lungo ritenuta caratteristica esclusivamente del periodo giovanile del Caravaggio, ma che in queste opere dei primi del secolo appare più nitida e tonificata, non meno che provocatoria nella sua funzione rivelatrice della realtà contro il decoro, e per questa ragione non accettabile per i quadri di destinazione chiesastica.

È di questo tempo il trasferimento del Caravaggio nel palazzo del cardinale Gerolamo Mattei, dove risulta che abitava nel giugno 1601. Un parente del cardinale, Ciriaco, ebbe dal pittore tre

quadri descritti e ammirati, la citata *Cena in Emaus* oggi a Londra, ricordata oltre che dallo Scannelli anche dal Bellori per l'"imitatione del colore naturale", il *San Giovanni Battista* oggi nella Pinacoteca Capitolina e la *Cattura di Cristo*, una delle sue rappresentazioni più tragiche che il Bellori ha descritto mirabilmente ed è stata di recente identificata nella versione originale pervenuta al museo di Dublino. Diversamente da questo dipinto rimasto a lungo presso la famiglia, altre opere sono cadute presto in oblio e soltanto il ritrovamento di documenti ha consentito di identificarne il primo possessore. Così è accaduto per la *Coronazione di spine* già Cecconi di palazzo degli Alberti della Cassa di Risparmio di Prato, creduta copia dal Caravaggio dal Longhi e risarcita come autografa dopo il restauro del 1974-1975. Questo intervento, dovuto a Thomas M. Schneider che ne ha rimosso le estese ridipinture, ha consentito la lettura stilistica, tipologica e morfologica e l'analisi delle caratteristiche esecutive che, dopo le indagini di J.L. Graves e M. Johnson sulla *Conversione della Maddalena* di Detroit (1973), è da considerarsi un'altra ricerca fondamentale. Sono state sottolineate la riduzione, riscontrabile in altre opere del Merisi, della spalla, del braccio e del perizoma del Cristo mediante un bordo col tono scuro del fondo, e le pennellate che affiorano, corrispondenti ai primi pensieri e all'abbozzo provvisorio sottostante, che il Caravaggio dipinse direttamente sulla tela col modello davanti senza disegno preliminare. In quest'opera, databile intorno al 1601-1602, ritroviamo il modello di uno dei manigoldi della *Crocifissione di San Pietro* usato per l'ufficiale di profilo rappresentato a destra. Il soggetto corrisponde a un'opera dipinta per Massimo Massimi secondo quanto è riferito in una scrittura firmata dal pittore nel 1605, che fa riferimento a un quadro "della Incoronatione di Crixto" eseguito tempo addietro, ciò che collima con la datazione proposta.

La *Coronazione di spine* di Prato ha un formato verticale diversamente dagli altri dipinti cristologici che abbiamo ricordato. Questa caratteristica ritorna, probabilmente per richiesta del committente, soltanto nell'*Ecce Homo* di Palazzo Bianco a Genova, che sembra sia stato eseguito anch'esso per il Massimi.

Un ammiratore del Caravaggio dovette essere monsignor Maffeo Barberini. Alcuni suoi pagamenti al pittore del 1603 e del gennaio 1604 si riferiscono probabilmente al *Sacrificio d'Isacco* conservato agli Uffizi. Prossimo al secondo *San Matteo* per il quale aveva impiegato lo stesso modello, in questa seconda rappresentazione che si apre su un paesaggio non più alla veneziana, ma del tutto moderno, il soggetto si presenta in una versione che

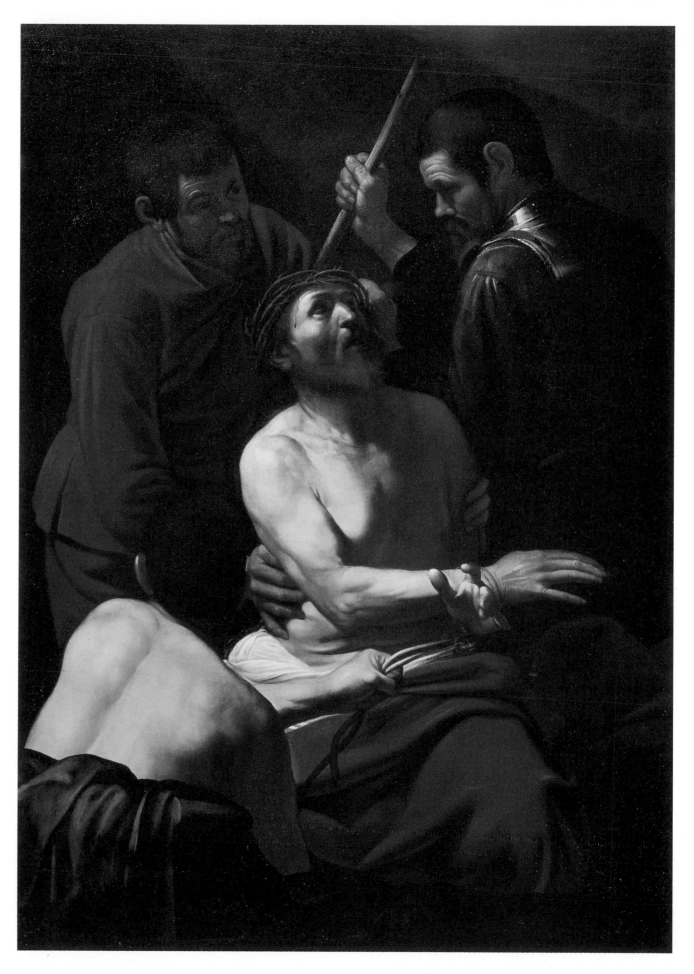

indica, in confronto alla più antica redazione della collezione Johnson, l'avanzamento compiuto nei moti che esprimono l'orrore sul viso di Isacco.

Un'altra identificazione del suo primo possessore, il marchese Vincenzo Giustiniani, riguarda l'*Incoronazione di spine* del Kunsthistorisches Museum di Vienna. L'opera coincide col quadro con quattro figure di questo soggetto descritto in una sala del palazzo Giustiniani alla morte del marchese (1638). Le misure e il formato orizzontale corrispondono alla collocazione come sovrapporta ricordata dal documento, ubicazione alla quale il quadro dovette essere destinato fin da principio, come suggeriscono la visione di sottinsù e la fattura non molto elaborata di alcune parti. La provenienza dal palazzo Giustiniani, dove poté essere visto e copiato, spiega il gran numero di derivazioni conosciute. In questi anni romani il Caravaggio lavorò per altri committenti come il banchiere Ottavio Costa. Alla classe nobile e altoborghese dovette appartenere il *Ritratto di gentiluomo* rappresentato con un ampio collare e attribuito recentemente al Merisi (New York, collezione privata).

Non tutte reperibili e spesso problematiche per quanto riguarda la datazione sono le opere di destinazione chiesastica che accompagnano e seguono senza scarto di tempo la clamorosa rivelazione delle due *Storie di San Matteo*. Le notizie consentono infatti di concentrare nei primi anni del secolo la commissione di altre due opere. Una di esse, del senese Fabio de Sartis per un grande quadro, ad evidenza destinato a una chiesa, e commissionato il 5 aprile 1600 e pagato duecento scudi il 20 novembre, non è per il momento identificabile. Incarico e saldo si intrecciano con le notizie relative ad altre opere, il pagamento finale della cappella Contarelli nel luglio 1600 e la commissione, il 24 settembre, dei due quadri di Santa Maria del Popolo, che saranno compiuti nella seconda redazione soltanto nel novembre 1601. E ancora prima del compimento di questi, il 14 giugno 1601, il Caravaggio firmava l'impegno con i frati di Santa Maria della Scala in Vallicella per la *Morte della Vergine* la cui esecuzione dovette protrarsi nel tempo. La verifica di questi anni conferma, pur tenendo conto di alcuni ritardi, le notizie sulla rapidità con cui dipingeva il pittore lombardo.

Nei quadri di destinazione chiesastica del periodo che va dal 1600 al maggio del 1606, quando il Merisi dovette fuggire da Roma – le due tele di Santa Maria del Popolo, le due redazioni del *San Matteo e l'angelo*, la *Deposizione*, oggi nella Pinacoteca Vaticana, la *Madonna di Loreto* di Sant'Agostino e la *Madonna del serpe* oggi nella Galleria Borghese – è difficile indicare un legame e uno sviluppo evolutivo paragonabili al percorso degli altri artisti che rappresentavano in quegli anni sulla scena romana le "schole" di pittura ricordate da Giulio Mancini.

Superata la fase giovanile, fisiologicamente sperimentale, giunto al successo, ricercato come uno dei primi pittori di Roma a cui affidare le commissioni pubbliche destinate alle chiese, il Caravaggio non elaborò un sistema stilistico e degli schemi compositivi che gli servissero da guida e a cui attenersi, ma affrontò di volta in volta i soggetti meditandone la portata e le circostanze reali, e i significati spirituali che essi dovevano comunicare.

La serie di queste opere conferma che il pittore lombardo procedeva secondo i presupposti naturalistici anche nel momento preliminare, nell'affrontare il soggetto e non solo nella fase esecutiva. Estendere al quadro di storia il metodo naturalistico già intravisto dai pittori bresciani del Cinquecento, e da lui assunto, con un'operazione radicale mai tradita, a sistema e a principio basilare e informatore della sua pittura, portava alla rottura con la tradizione, all'interruzione dei fili conduttori e al rifiuto dei principi e dei procedimenti sui quali l'arte fondava da secoli, all'abolizione, infine, del granitico diaframma iconografico e stilistico che si frapponeva dall'antichità tra l'assunto e la sua realizzazione figurativa. Ma di qui scaturì la motivazione di principio per il rifiuto e la condanna della sua pittura. Un'altra considerazione giova a illuminare l'aspetto paradossale della drammatica vicenda che vide affrontato il vecchio sistema e la volontà di rinnovare del pittore lombardo. Abbiamo già notato che i primi soggetti religiosi, esemplari e di edificazione, di destinazione privata, *in primis* le storie di Cristo, cadono all'aprirsi del secolo e sono immediatamente successivi ai laterali di San Luigi dei Francesi. È evidente che in quegli anni il Caravaggio meditò in particolare sulle finalità e sui modi di rappresentare la pittura religiosa che anche per lui, cresciuto nel clima posttridentino, doveva intendersi come *biblia pauperum*, mentre il suo fine primario doveva essere quello di comunicare il messaggio religioso, allegorico e spirituale.

La critica degli ambienti controriformati alla maniera e ai suoi artifici fu certamente uno dei moventi della radicale presa di posizione del Merisi contro i procedimenti formali che presiedevano tradizionalmente alla elaborazione artistica. Tuttavia, proprio in questi ambienti e soprattutto nella fascia medio-bassa della Chiesa, il Caravaggio trovò le maggiori opposizioni, il ri-

fiuto di collocare i suoi quadri sugli altari e la protesta popolare. Giova ricordare a questo proposito che le difficoltà e le incomprensioni venivano anche dalla situazione artistica generale in fase di grandi trasformazioni e di conseguenti incertezze. Considerazioni extra-artistiche, ma non così gravi, portarono i padri di Santa Maria alla Vallicella a respingere nel gennaio 1608 il quadro per l'altar maggiore che il Rubens, grazie ai buoni uffici del genovese monsignor Giacomo Serra, si era fatto affidare. Anche il fiammingo uscì molto provato da questa sconfitta sebbene gli fosse stata offerta una seconda soluzione in tre pannelli distinti, tuttora visibili nel presbiterio della chiesa.

Quanto al Caravaggio, il rifiuto derivava dalla mancanza di "decoro", evidente nella presentazione dei Santi, come San Matteo, in sembianze umili e popolari, in atteggiamenti non consoni all'idealizzazione richiesta, con i piedi nudi e sporchi in evidenza, e in ambienti spogli, privi di supporti architettonici atti a nobilitare la storia, che infatti erano stati richiesti per il *Martirio di San Matteo*. Paradossalmente, questa visione, che partiva da una radice pauperistica, legata all'ideologia religiosa, e ne era anzi la realizzazione più fedele e radicale, ai più appariva inaccettabile.

Senza le opere religiose, senza affrontare il quadro di storia, il Caravaggio sarebbe rimasto un bravo, eccentrico pittore di genere e ben poco avrebbe potuto incidere nelle grandi innovazioni della pittura che, maturate lungo il Seicento, sarebbero pervenute al mondo moderno. Queste riflessioni trovano una conferma nelle affermazioni scritte da Francesco Arcangeli, non certo sospetto di simpatie confessionali, a proposito di Ludovico Carracci, che "la grande battaglia per la modernità è stata combattuta, in Italia, sostanzialmente nel quadro sacro".

I contrasti per i quadri destinati alle chiese si ripeteranno con monotonia: la *Madonna di Loreto* fu accolta "da' popolani" con "estremo schiamazzo", secondo il referto del Baglione che non può interpretarsi (come si è fatto talvolta) quale segnale positivo. La *Morte della Vergine* e la *Madonna del serpe* o *dei palafrenieri* furono rimosse dall'altare. Quanto a quest'ultima opera, allontanata forse non soltanto per ragioni di decoro, fu venduta a un collezionista intelligente, per la precisione un prelato, il cardinale Scipione Borghese. Fa eccezione la *Deposizione*, destinata alla seconda cappella a destra della chiesa di Santa Maria alla Vallicella, opera subito apprezzata, in seguito spesso copiata e ricordata anche negli ambienti accademici con lode, di cui nell'Ottocento, in un periodo di incomprensione totale per la pittura caravaggesca, il Burckhardt si farà interprete notandone l'unità e la forza

espressiva. Sebbene anche in altre opere non manchino ricordi classici come nel Cristo della *Coronazione* Cecconi debitore del torso del Belvedere e nella *Madonna* di Sant'Agostino che deriva dalla statua antica della cosiddetta Tusnelda, non c'è dubbio che sulla *Deposizione*, sul suo blocco fortemente colorato come le sculture lignee che si vedevano sugli altari lombardi, trascorre l'eco di modelli antichi e cinquecenteschi, e tra questi della *Deposizione* di Raffaello. In questa luce, riconoscendola come un altro anello di una catena illustre, l'opera fu intesa e più facilmente accettata. È probabile, del resto, che per questo dipinto il Caravaggio abbia usato qualche cautela per evitare gli infortuni dei quadri di Santa Maria del Popolo e del *San Matteo e l'angelo* e sia stato attento a costruire il gruppo e a smorzare l'intensità della luce che scivola sul nudo del Cristo e si diffonde su tutta la superficie. Nel quadro composto e complesso il rapporto coinvolgente con lo spazio reale è assicurato con discrezione dalla pietra del sepolcro in bilico che proietta uno spigolo verso il riguardante, e dal braccio del portatore, probabilmente Giuseppe d'Arimatea, sporgente a cuneo verso di noi.

Il soggetto della *Madonna di Loreto*, una delle opere più popolari del Caravaggio, non segue l'iconografia tradizionale, ma è ripensato naturalizzando e ricreando una situazione reale. La Madonna che stringe il Figlio con la mano bellissima premendo la carne a rammentarne la natura umana (un pensiero che ritorna in questi anni nella *Coronazione* Cecconi e nella *Deposizione*), si affaccia sulla porta della Santa Casa che la incornicia come una nicchia. La coppia dei due vecchi pellegrini oranti, inginocchiati e con i piedi nudi, introduce uno straordinario e "lombardo" inserto pauperistico.

L'evidenza e il richiamo del significato umano di quest'opera la approssimano alla *Morte della Vergine* dipinta per la chiesa dei carmelitani scalzi di Santa Maria della Scala in Trastevere, la cui datazione incerta per quanto riguarda l'esecuzione è probabilmente da fissare prima della *Madonna dei palafrenieri*. Il soggetto è rimeditato anche qui in termini umani, riconducendosi al nucleo centrale del naturalismo così come lo intende ora il Caravaggio, oltre l'iconografia tradizionale e oltre il decoro. L'opera, che non fu accettata, conferma la fama ormai diffusa fuori Roma del lombardo. La pala fu acquistata infatti dal duca di Mantova per la sua collezione, che era ancora (ma per poco tempo) la più importante e famosa d'Europa. Dei numerosi significati che la lettura iconologica di Pamela Askew ha attribuito all'opera, alcuni sono indubbiamente convincenti e danno delle interpreta-

Seppellimento di Santa Lucia,
1608-1609 circa
olio su tela, 408 × 300 cm
Siracusa, chiesa di Santa Lucia.

zioni spirituali oltre che naturalistiche della Madonna non ancora ricomposta nel sudario, dei piedi nudi degli apostoli, e della presenza insolita, che dovette aggiungere un altro motivo di scandalo introducendo elementi di livello più basso, della Maddalena vestita da popolana e rappresentata sulla sedia rustica mentre si asciuga le lacrime col grembiule.

Nell'ultima grande opera romana, la *Maddalena dei palafrenieri* della Galleria Borghese, ritorna la modella della *Madonna di Loreto* vestita da popolana e con la treccia annodata sul capo. Anche questa figura materna e intercedente dovette essere un motivo di scandalo al pari della nudità del Bambino e della vecchiaia disadorna di Anna. La fattura rapida con cui il pittore ha aggredito questa figura indica un grado crescente di tensione e collega l'opera ai dipinti che il Caravaggio eseguì dopo la fuga da Roma.

Questi quadri maturi documentano una crescita umana che appare lontana dal clima idillico dei primi anni romani e va sostituendosi all'intento costante di gareggiare con la realtà o con l'arte, e perfino di stupire. Dall'aprirsi del secolo abbiamo parallelamente notizie delle intemperanze e violenze del pittore, che rivelano un atteggiamento di disadattato sociale di cui occorre tener conto e che non devono necessariamente porsi in relazione con le difficoltà e gli insuccessi che segnano la sua ascesa, attestata dal crescere della fama.

Partendo dal pauperismo, il Caravaggio si mette dalla parte del povero. Nei temi della Passione di Cristo scopre la forza del male. Meditando sui vincitori e sui vinti si identifica con questi. La sua partecipazione agli eventi tragici rappresentati si nota nel *Martirio di San Matteo* e nella *Cattura di Cristo* Mattei dove tra gli astanti si riconosce il suo viso. Il processo attraverso il quale la sua pittura diventa un messaggio soggettivo è anche più manifesto nelle opere di destinazione e di devozione privata degli ultimi anni romani. Il pittore ritorna più volte sulle rappresentazioni di Santi che meditano o leggono, e nei suoi eroi congeniali – San Giovanni Battista, San Francesco, San Gerolamo – si esprimono ora un umore malinconico e corrucciato, ora una tristezza insondabile.

Nelle parti secondarie del *San Giovanni Battista* della Galleria Borghese e nel *San Francesco* del Museo di Cremona, forse già appartenente come la *Cena in Emaus* della Pinacoteca di Brera al periodo colonnese, il Caravaggio ricorre a un dettato più rapido condotto con "fierezza" (Bellori) e insegue con l'occhio infallibile le apparizioni delle immagini rivelata dalla luce. Nel periodo napoletano il pittore lo adotterà costantemente in un'economia

Resurrezione di Lazzaro, 1608-1609
olio su tela, 380 × 275 cm
Messina, Museo Regionale.

esecutiva che si serve dell'imprimitura rossastra come colore di base e di "fondi ed ombre fierissime" (Bellori) per fare emergere le immagini (una costante, questa, a cui fanno eccezione la *Madonna del Rosario* oggi a Vienna e la *Giuditta che decapita Oloferne* nota attraverso una copia, offerte da Frans Pourbus il giovane al duca di Mantova).

Dopo l'uccisione di Ranuccio Tomassoni il 28 luglio 1606 e la fuga da Roma, il pittore si era rifugiato nei feudi Colonna. La sua presenza a Napoli è documentata dall'autunno del 1606 all'estate del 1607.

Nelle *Opere di misericordia* dipinte per il Pio Monte i protagonisti si danno convegno nel vicolo affollato come su una scena. Adottando lo stile concitato, il Caravaggio ripensa anche ai laterali della cappella Contarelli. Il significato morale dell'opera, da scena di genere, giustifica in questo caso gli inserimenti dei personaggi in abiti moderni, ai quali il pittore accosta la figura classica del Sansone che beve nella mascella d'asino. Da tali rappresentazioni discordi ed estreme trarrà insegnamenti il Ribera, che già nel periodo romano rammenterà per uno dei *Cinque Sensi* l'oste che a sinistra delle *Opere di misericordia* invita i pellegrini a entrare.

Analogamente al *Martirio di San Matteo*, l'oscurità è il legante che risolve la difficoltà di unificare le azioni e i diversi episodi. Ed è ancora l'oscurità a "dar forza alle sue figure e componimenti" (Bellori), facendo emergere la concentrata potenza del Cristo e dei persecutori nella *Flagellazione* di San Domenico, e ad accogliere le luci intermittenti nella *Crocifissione di Sant'Andrea* dipinta per il conte di Benavente, viceré di Napoli. Proposte recenti hanno consentito di aggiungere al primo periodo napoletano la *Flagellazione* del museo di Rouen, un'opera legata, come è stato notato, anche agli ultimi episodi romani.

Nel luglio del 1607 il pittore era a Malta, dove si conservano un *San Gerolamo* e la *Decollazione del Battista*, l'unica opera firmata dal pittore. Questa tela si estende nella cappella da muro a muro nell'intento di presentare illusionisticamente lo spazio come in una scena reale. Sebbene il suo nome vergato col sangue del Santo faccia pensare alla volontà del pittore di autoidentificarsi col martire, per la verità perentoria e non adulterata con cui è rappresentato l'evento e per il distacco virile con cui sono riprodotti i sentimenti, la *Decollazione del Battista* appare in pittura la prima tragedia moderna. Senza questo raggiungimento il mondo occidentale non avrebbe avuto né Rembrandt né l'*Enterrement à Ornans*.

Nel periodo maltese il Caravaggio esegue due ritratti del gran maestro Alof de Wignacourt (uno di essi conservato al Louvre, l'altro perduto) e l'*Amore dormiente* dipinto per il fiorentino Francesco dell'Antella. Altre opere sembrano ricondursi a questo momento per l'intonazione rossastra e le superfici meno compatte, caratteri che possono tuttavia situarsi nella successiva fase siciliana. Mi riferisco al *Cavaliere di Malta* della Galleria Palatina, la cui identità con Marcantonio Martelli indicata in una lista del Guardaroba mediceo è ancora *sub judice*, e al *San Giovannino al fonte* noto dal quadro della collezione Bonello e di cui è stata rinvenuta recentemente la versione autografa.

Con queste opere e con alcune altre, la conoscenza dell'attività degli ultimi anni del Merisi si è arricchita notevolmente. Una volta sfuggito (o liberato) dal carcere maltese nell'ottobre del 1608, le sue peregrinazioni lo portano in varie città della Sicilia, in particolare a Siracusa e a Messina, a raccontare come un rapsodo nella *Sepoltura di Santa Lucia* e nella *Resurrezione di Lazzaro* storie di passioni corali, dove la morte è protagonista oppure combatte con la vita. A queste concentrazioni popolose succedono i momenti di sosta in raccoglimento meditativo di fronte al mistero umano e divino dei *Presepi* di Messina e di Palermo.

Altre opere di destinazione privata che cadono in questo periodo – l'*Ecce Homo* conosciuto attraverso due copie, il cui formato molto contenuto risulta in analogia con quello del *San Giovannino* e forse da identificare con una delle storie commissionate a Messina da Niccolò di Giacomo nel 1609, e il *Cavadenti*, un originale indiscutibile conservato a Firenze nella Galleria Palatina –, toccano una corda nuova tragico-grottesca, che il pittore ritroverà a Napoli per il *Martirio di Sant'Orsola* destinato a Marcantonio Doria. In quest'opera estrema, nello spazio ristretto, un tempo impercettibile – entità trascurabile – trascorre tra il gesto dell'arciere con l'arco ancora teso e il momento in cui la freccia ha già raggiunto il petto della martire. Anche qui, nella ricerca dell'attimo, il pittore nega la storia. E negazione della storia e della socialità è anche il buio che circonda i suoi fantasmi. Se lo consideriamo come una manifestazione della psiche, questo buio si assimila alla solitudine del mistico, alla notte dell'anima di San Giovanni della Croce e alla "Darkness of my night" di Bob Dylan. E mi domando se non sia questa la ragione dell'irresistibile attrazione che il Caravaggio esercita ancora oggi.

L'opera del Caravaggio

Fruttaiolo

1593-1594
olio su tela, 70 × 67 cm
Roma, Galleria Borghese.

Sul fondo la luce e l'ombra si dividono il campo evitando gli schematismi, mentre un sottile calcolo colloca la testa al centro del ventaglio della luce. Ne guadagna in tal modo la resa pittorica che appare già orientata verso la "macchia" seicentesca, alla quale il Caravaggio dà uno straordinario risalto ottico e tonale nella massa scura dei capelli contro la parete chiara e nel contrasto della spalla contro la zona in cui ha luogo il passaggio dalla luce all'ombra. Questo risultato deriva dalle ricerche condotte in Lombardia nel Cinquecento dal Savoldo, dal Moretto e dal Moroni, ed è ottenuto mediante la luce che circola dietro la figura e che dà a questa una straordinaria, illusionistica evidenza.

Nel collo, troppo potente in confronto alla testa piccola, è evidente il modo di dipingere del Caravaggio a fondamento empirico, a stesura, diretta senza disegno, secondo i principi da lui affermati e riportati dal Van Mander. La robustezza dei passaggi dalla luminosità piena all'ombra e alla rifrazione lungo il margine destro del collo indicano che il Merisi aveva filtrato attraverso il suo maestro anche esperienze veneziane e tintorettesche riportandole alla visione luministica lombarda. Un'osservazione di estrema sottigliezza, forse ispirata a qualche esempio di Lorenzo Lotto, si nota nella luminosità che si accende nell'occhio sinistro in penombra e che, forse già accennata nel *Bacchino*, è qui realizzata con maggiore perspicuità. Niente di simile a questa figura, tuttavia, troveremmo in Lombardia negli stessi anni, non lo spirito che anima il giovinetto, che riecheggia la poesia giorgionesca, rivisitata certamente nelle peregrinazioni compiute quando il Merisi era ancora in Italia settentrionale, non la impressionante presenza esistenziale che presuppone anche la conoscenza degli episodi realistici e delle novità pittoriche pubblicate a Bologna negli anni della sua giovinezza da Annibale Carracci. (Mina Gregori, 1985).

L'apprendistato e la formazione culturale in terra lombarda appaiono evidenti in questo dipinto giovanile, fra i più precoci da noi conosciuti. L'attenzione alla "natura morta" rispecchia un atteggiamento manifestato con chiarezza dal Caravaggio, secondo il quale "tanta manifattura gli era a fare un quadro buono di fiori come di figure".

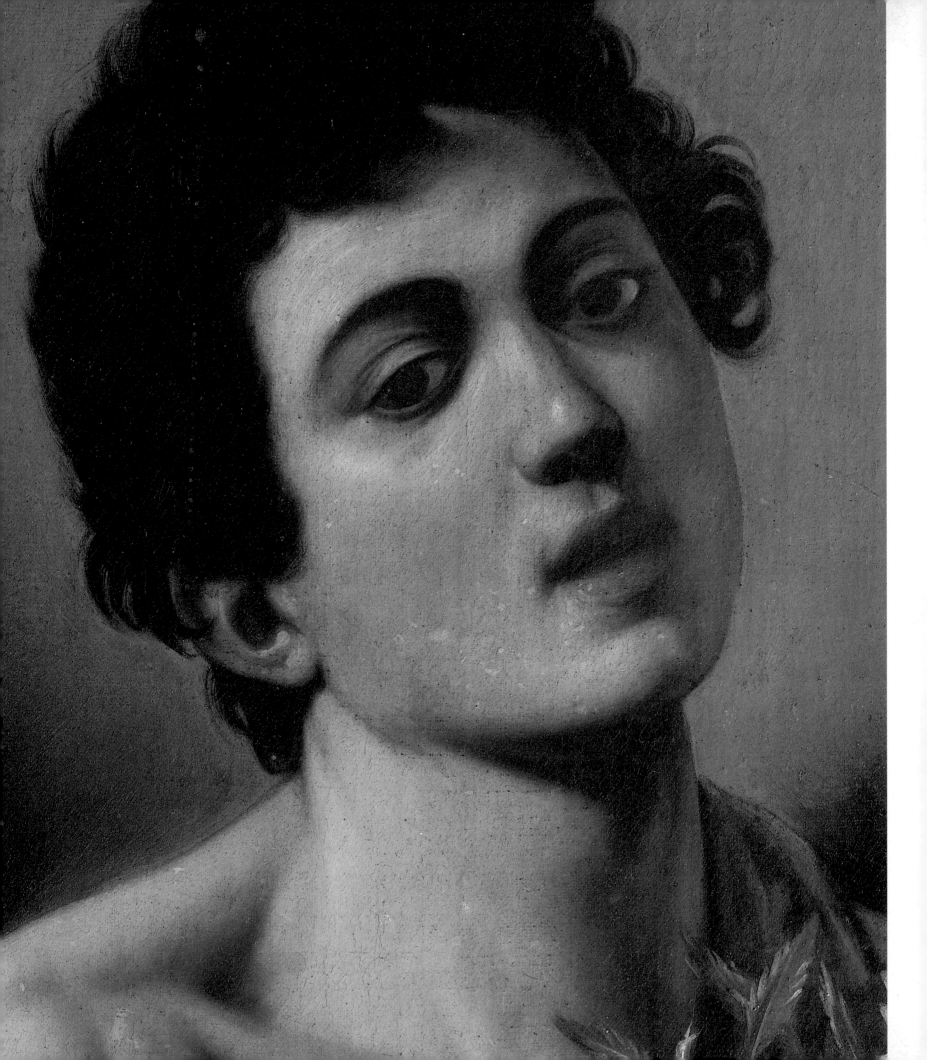

Le cose, da sole, esprimono idee, filosofia e storia, perché da esse si sprigiona il "presente" e il suo suono, la nuova condizione umana, i nuovi concreti rapporti tra gli uomini e degli uomini con le cose e la storia. Le vie del realismo non sono infinite. È significativo che, alla fine del '500, punto di partenza verso il realismo sia la natura morta, la pittura di oggetti. Lo stesso accadrà al momento della nuova ripresa realista negli ultimi decenni del XIX secolo: i "fiori", la "trota", le "pere" di Courbet, il "dessert" di Monet e Cézanne ostinarsi davanti a un cartoccio di mele, per tanti versi affine a "quei due baiocchi di frutta" dipinti dal Caravaggio davanti al *Bacchino malato*. Nasce così una tesi rivoluzionaria, lo smantellamento delle gerarchie dei temi, la scelta di una pittura "senza soggetto apparente" e senza "actione", più idonea ad accostare la verità, a scrostarla da miti, ideologie e falso decoro. Solo per questa via si poteva arrivare a una giusta, moderna idea dell'"actione", a un nuovo vivente attuarsi della pittura di "historia". E le "historie" verranno, per mano del Caravaggio, e si sa in che modo violento egli saprà riproporle. (Renato Guttuso, 1967).

La tela venne sequestrata nel 1607 dal fisco al Cavalier d'Arpino, noto pittore tardo-manierista presso la cui bottega il Caravaggio aveva lavorato nei primi anni romani.

Buona ventura
1593-1594
olio su tela, 115 × 150 cm
Roma, Pinacoteca Capitolina.

La rapida celebrità di questa sorridente scena di genere (nella quale si cela un significato morale) è testimoniata dal commento di Giulio Mancini (Considerazioni sulla pittura, 1617-1621 circa), che, pur riprovando la pittura "senza soggetto", priva di una nobile azione storica o religiosa,

afferma: E di questa schuola non credo forsi che se sia visto cosa con più gratia et affetto che quella zingara che dà la buona ventura a quel giovenetto, mano del Caravaggio [...], la zingaretta mostra la sua furbaria con un riso finto nel levar l'anello al giovanotto, et questo la sua semplicità et affetto di

libidine verso la vaghezza della zingaretta che le dà la ventura e le leva l'anello".

San Giovanni Battista

1597-1598
olio su tela, 169 × 112 cm
Toledo, Museo della Cattedrale.

L'attribuzione al Caravaggio di questo dipinto è stata ribadita da recenti restauri e approfondimenti critici. Mina Gregori (1991) vi ravvisa una "capacità di percezione della realtà esistenziale e della luce spinta a un livello vertiginoso. [...] Idea primigenia da cui deriva il San Giovanni a figura intera oggi a Kansas City, il dipinto di Toledo appartiene come il Sacrificio di Isacco, a un momento idilliaco che conclude senza soluzione di continuità e con sottili innovazioni il periodo giovanile, rappresentando al contempo il primo passo del processo che portò il Caravaggio alla svolta del Martirio di San Matteo".

Canestra di frutta
1597-1598
olio su tela, 46 × 64,5 cm
Milano, Pinacoteca Ambrosiana.

La "Fiscella" considerata la capostipite del genere della natura morta (pur nelle diverse interpretazioni cronologiche e iconografiche che continuano a essere formulate), appartenne alla collezione del cardinale Federico Borromeo, che la registrò nell'inventario di donazione all'Accademia Ambrosiana (1607) e la descrisse nella guida della Biblioteca Ambrosiana (1618), dove la tela tuttora è conservata. L'ipotesi che si tratti di un frammento di una composizione più vasta è stata smentita, oltre che dalle caratteristiche stilistiche, anche dalle analisi scientifiche.

I bari

1594 circa
olio su tela, 94,2 × 130,9 cm
Fort Worth (Texas), Kimbell Art
Museum.

La ricomparsa, il restauro e la
definitiva conferma dell'autografia di
quest'opera giovanile costituiscono uno
dei più importanti contributi recenti al
catalogo del Caravaggio, arricchendolo
di un numero di grande significato
storico. Infatti, questo dipinto è solo da
pochi anni visibile agli studiosi e al
pubblico. Eppure, fin dal Seicento,
questa tela è una delle opere di
Caravaggio più note e imitate: il

soggetto, tratto dalla realtà quotidiana,
ha avuto un successo straordinario
presso i collezionisti, i copisti e i
seguaci del maestro. Il numero delle
repliche e delle derivazioni ha
ostacolato il definitivo rinvenimento
dell'originale.

Musica di alcuni giovani

1595 circa
olio su tela, 87,9 × 115,9 cm
New York, The Metropolitan Museum
of Art.

La critica più recente riconosce in questa tela l'opera così descritta da Cesare Baglione nel 1642: "dipinse per il Cardinale (Del Monte) una musica di alcuni giovani ritratti dal naturale, assai bene".
Purtroppo, la tela ci è pervenuta in non buone condizioni e la materia pittorica risulta impoverita: tuttavia, il dipinto conserva un ambiguo fascino, tanto da aver consentito interpretazioni in chiave omosessuale, specie considerando la presenza sulla sinistra del dio Amore (riconoscibile dalle ali).
Il concerto si inserisce coerentemente nel percorso giovanile di Caravaggio, che frequentemente riprende temi musicali.

Ragazzo morso da un ramarro
1595 circa
olio su tela, 66 × 49,5 cm
Londra, National Gallery

Ragazzo morso da un ramarro
1595-1596
olio su tela, 65,8 × 52,3 cm
Firenze, Fondazione Roberto Longhi.

Non deve stupire la presenza di due dipinti uguali, entrambi di mano di Caravaggio. Negli anni giovanili, infatti, il maestro ha personalmente replicato sue opere in più di un esemplare. Un altro esempio accertato si riferisce al Suonatore di liuto. Nel caso della Buona ventura (Pinacoteca Capitolina di Roma e Musée du Louvre a Parigi) si tratta di due diverse interpretazioni dello stesso soggetto. Per i due ragazzi col ramarro si può notare un maggior grado di limpidezza nell'esemplare londinese (si confrontino le due brocche trasparenti), che tuttavia appare meno ricco di colore della tela fiorentina, la cui materia pittorica è più integra e densa.

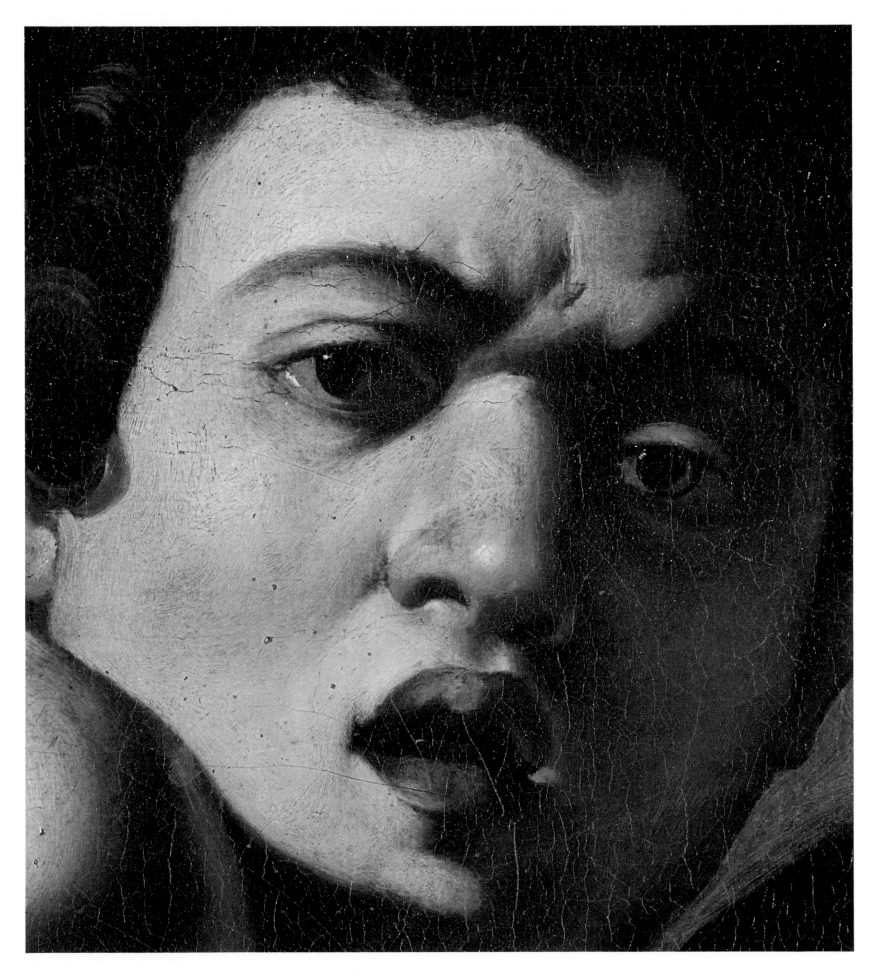

Santa Caterina d'Alessandria
1598-1599
olio su tela, 173 × 133 cm
Madrid, collezione Thyssen-Bornemisza.

Suonatore di liuto
1596-1597
olio su tela, 100 × 126,5 cm
New York, collezione privata.

*Anche in questo caso si tratta di un
soggetto ripetuto due volte da
Caravaggio: l'altro esemplare è
conservato nel Museo dell'Ermitage di
San Pietroburgo. Questi soggetti e la
rappresentazione degli strumenti e degli
spartiti vanno posti in relazione con
l'interesse del cardinal Del Monte per
la musica.*

Riposo durante la fuga in Egitto
1595-1596
olio su tela, 135,5 × 166,5 cm
Roma, Galleria Doria Pamphilj.

Nel *Riposo in Egitto* Caravaggio riprende il motivo veneto della figurazione sacra nel paesaggio; vuole affermare che non v'è differenza tra il sentimento del reale e il sentimento del divino. Le figure sono presentate l'una accanto all'altra nel modo più semplice: nessuno sfoggio d'invenzione, nessun artificio compositivo. E nessun artificio prospettico per definire lo spazio: vi sono cose vicine, che si vedono nei minimi particolari (i sassi, i ciuffi d'erba in primo piano) e cose lontane, che appaiono velate da strati di atmosfera luminosa. Nessun tentativo di eroizzare le figure: la Madonna cede alla stanchezza, al sonno; Giuseppe è un vecchio contadino impacciato, seduto sul sacco con la fiasca ai piedi e, accanto, il somaro. Il motivo religioso è anche sociale: il divino si rivela negli

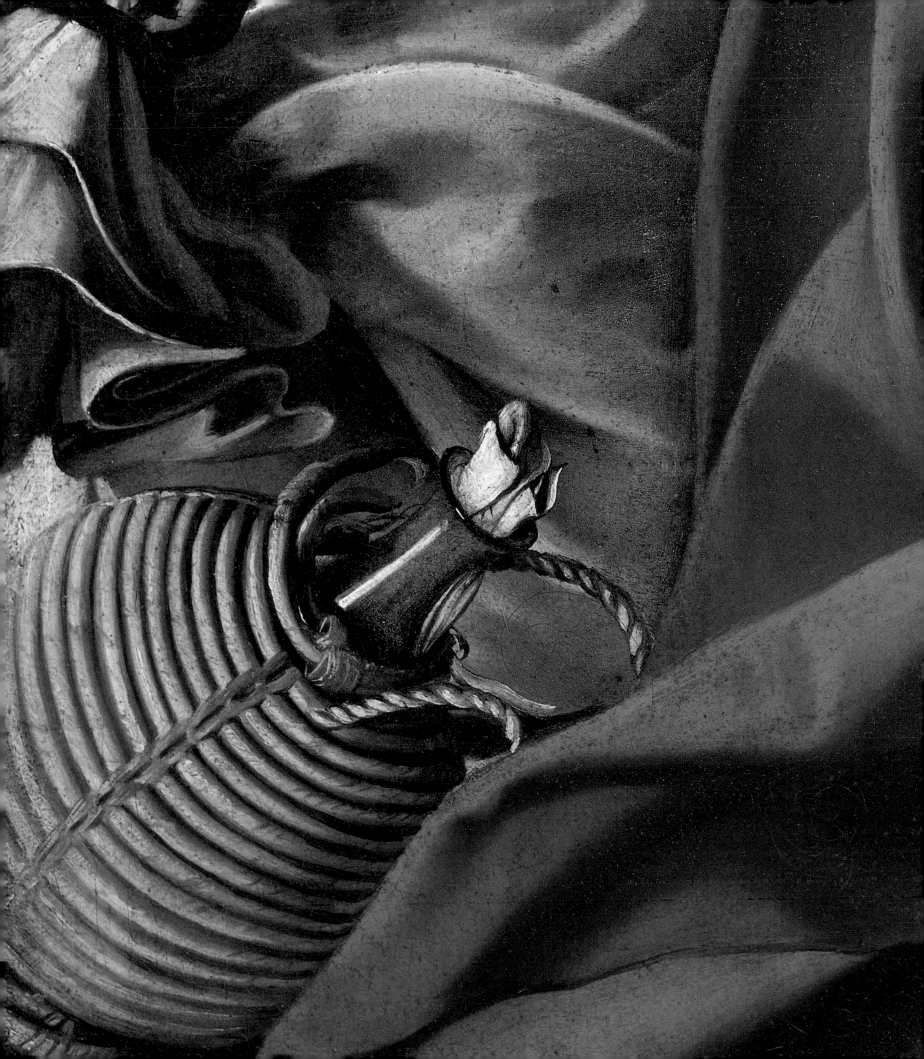

umili. Ma il motivo realistico si trasforma in mitico nella figura "ideale" dell'angelo: sorge come per incanto dalla terra, il bel corpo roseo nella spirale candida del velo. È un *genius loci*, quasi la personificazione del paesaggio caldo, luminoso, accogliente: lo spunto poetico è chiaramente veneto. Dalla realtà si passa alla realtà poetica, all'idillio: l'angelo è una figura ideale, ma appoggia i piedi sulla terra, tra l'erba e i sassi, suona un vero violino, legge le note nel libro che san Giuseppe gli tiene aperto davanti. L'unità, l'armonia della figurazione sono date dai colori: al centro il corpo chiaro, affusolato dell'angelo, con la voluta del velo resa più luminosa, per contrasto, dalle punte nere delle ali di rondine; intorno, un variare di toni argentei, verdi-chiaro, avana. È una gamma tipicamente lottesca e lottesca è anche la modulazione sommessa, per curve blande, dei contorni. Si aggiunga questo evidente lottismo al motivo religioso-sociale del rivelarsi del divino nelle persone, nelle cose più umili: è chiaro che il Caravaggio, in polemica contro il manierismo e l'ufficialità religiosa romana, difende una cultura figurativa e una religiosità "lombarde", o, quanto meno, settentrionali. E forse la cultura della provincia contro quella della capitale. Le opere "chiare" dello stesso periodo (il *Bacco*, la *Buona ventura*, etc.) confermano questa posizione polemica: il Caravaggio difende la pittura come poesia, ma nel senso che a questa identità avevano dato Giorgione e Tiziano. La poesia non è invenzione fantastica, ma espressione della vita interiore, della più profonda realtà umana. Non è contro né al di sopra del reale; è *dentro* il reale e ne costituisce il significato più autentico. (Giulio Carlo Argan, 1978).

Vocazione di San Matteo

1599-1600
olio su tela, 322 × 340 cm
Roma, chiesa di San Luigi
dei Francesi.

Si può dire che il luminismo caravaggesco, inteso come funzione costruttrice dei corpi, assuma per la prima volta importanza decisiva: la quale accade in una camera illuminata da destra e dall'alto, ciò che fa ancor più risaltare i nitidi profili e l'assoluta chiusura della finestra di fondo. Le figure obbediscono alla luce che penetra quasi improvvisa nell'ambiente: di qui la profonda impressione di un fatto fuori del comune, istantaneo, ma senza sfoggio di mimica. Il famoso gesto del Cristo che indica il santo sollevando lentamente la mano verso di lui ha, insieme, efficacia concreta ed allusiva, per effetto del fascio di luce che si muove verso San Matteo accompagnando quel gesto: qui risiede l'essenziale del mirabile dipinto che segna, nel Caravaggio, la vittoria sulle difficoltà di "fare in grande" e di interpretare, attraverso il realismo di gusto contemporaneo un fatto religioso. I richiami che possono farsi di fronte a quest'opera rivoluzionaria, che sta all'inizio di una nuova età per la pittura, sono infatti con i grandi iniziatori: Giotto, Masaccio, Michelangelo. Il primo nella *Resurrezione di Lazzaro* a Padova, il secondo nel *Tributo* della Cappella Brancacci, il terzo nella *Creazione di Adamo* della Sistina. Il confronto, naturalmente, non riguarda che l'intensità e l'efficacia di una composizione figurativa fondata sull'intervento del potere divino su quello umano: resta sintomatica la constatazione che il genio del Caravaggio, considerato in gran parte estraneo ai valori religiosi, abbia prodotto, in un superamento delle esperienze realistiche precedenti, una delle opere più intensamente efficaci per l'espressione della religiosità. (Valerio Mariani, 1958).

La Vocazione e il Martirio di San Matteo, insieme con la pala d'altare dell'Evangelista con l'angelo, che fu ordinata nel 1602, costituiscono la prima importante commissione sacra ricevuta dal Caravaggio e, nel loro complesso, il suo massimo impegno compositivo. Una lunga serie di documenti permette di datare con sufficiente precisione le tele, la cui successione cronologica rispecchia una parallela evoluzione stilistica del

pittore. Ai soggetti "di genere" degli anni giovanili si sostituisce ora un'impostazione più monumentale e drammatica.
Caravaggio iniziò i lavori dalle tele laterali (una novità: prima di allora, infatti, a Roma le pareti delle cappelle erano abitualmente decorate ad affresco). Per prima abbozzò la scena del Martirio di San Matteo. Le radiografie hanno evidenziato due stesure del tutto differenti rispetto a

quella attuale: Caravaggio stesso preferì cancellarle, sostituendole con una scena in cui viene abolito ogni riferimento architettonico e viene enfatizzato l'aspetto emotivo dell'episodio. Seguì l'esecuzione della Vocazione, dipinta di getto, senza sostanziali modifiche in corso d'opera. Complessa fu invece la vicenda della pala d'altare: la prima redazione venne rifiutata dai committenti e Caravaggio si vide costretto a dipingere ex novo

l'attuale quadro, messo sull'altare dopo il compimento delle tele laterali. La prima versione del dipinto (ritenuta inadeguata per l'espressione poco dignitosa del Santo, che protendeva verso lo spettatore un piedone calloso e si faceva vistosamente aiutare dall'angelo nella stesura del Vangelo) è purtroppo andata perduta nell'incendio del Museo di Berlino nel 1945.

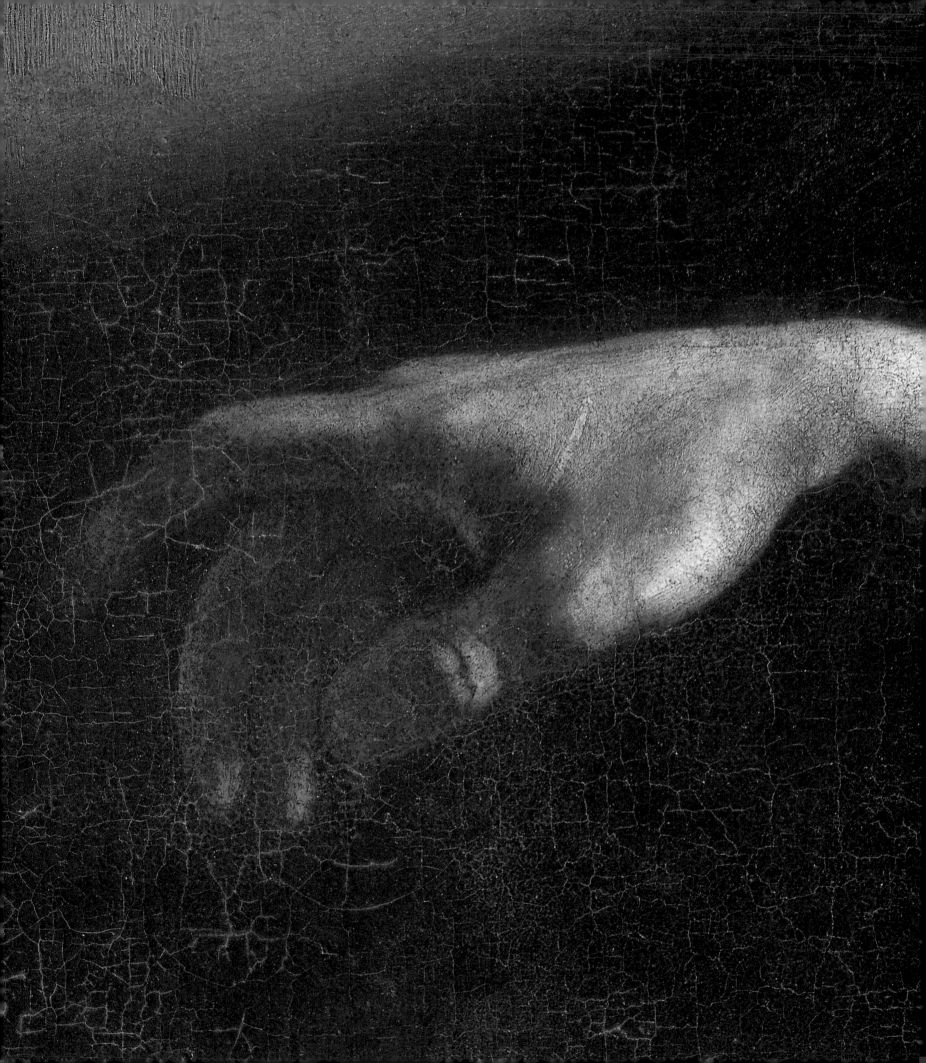

Martirio di San Matteo
1599-1600
olio su tela, 323 × 343 cm
Roma, chiesa di San Luigi
dei Francesi.

La commissione del luglio 1599 per i due quadri laterali della cappella Contarelli coincise per unanime riconoscimento con l'instaurarsi nella pittura caravaggesca di una nuova dialetta di tenebra e luce. Variamente designata come gagliardo rafforzamento degli scuri, scoperta della forma delle ombre (Longhi), "tecnica dell'emergenza" (Bardon), essa non si riduceva a una illusiva descrizione, a modo di fotogramma, di effetti di illuminazioni notturne (manca infatti ogni plausibile indicazione delle sorgenti luminose) e tanto meno ad un espediente per accentuare in senso drammatico una scena già completamente definita e atteggiata nel disegno d'assieme, nel gioco dei volumi e nella selezione dei colori prima di esser immersa nell'oscurità e qui raggiunta dal raggio rivelatore. Al contrario così l'impianto compositivo come la plasticità dei corpi e la gamma stessa dei colori, d'ora in poi più grave e sonora, concrescevano e si identificavano con la contrastata disposizione dei chiari e degli scuri, del che dà conferma il fatto, certo non dovuto a casuali smarrimenti, dell'inesistenza di disegni del maestro. Non si trattava però soltanto di una geniale ma astratta invenzione stilistica; nell'atto medesimo di farsi fattore determinante della costruzione del quadro, il rapporto luce-oscurità assumeva una valenza simbolica accompagnando una persona sacra (il Cristo della *Vocazione di Matteo*), o più spesso facendo avvertire una invisibile presenza, come, tipicamente, nella seconda *Conversione di Saulo* Cerasi. Non occorre infatti un preciso appoggio a testi dottrinali, a cui Caravaggio non ebbe verosimilmente né tempo né voglia di prestare attenzione, per riconoscere nella sua luce "formante" un richiamo allusivo

alla Grazia che salva dalle tenebre degli erramenti umani. La collusione dell'umano e del soprannaturale è resa dal Caravaggio per apparenze di fatti ed eventi tutti di credibilissima fisicità, rispetto ai quali l'irrompere della luce che li rivela fermandoli in aspetti di definitiva evidenza è il segno più naturale che possa immaginarsi di un'improvvisa folgorazione divina. Tutto lascia credere che il Merisi affrontasse i problemi della sua nuova attività pubblica di pittore di storie a

partire dalla prima stesura del *Martirio di S. Matteo*, oggi nascosta e scoperta dalle radiografie sotto la versione definitiva. Quasi fosse intimidito dal compito per lui inconsueto l'artista dovette orientarsi all'inizio verso un componimento di "alta retorica, di gusto archeologico e umanistico e di recitazione tra l'oratorio e il teatrale" (C.L. Ragghianti). Ma, probabilmente mentre prendeva forma con maggior risolutezza di concezione la tela gemella con la

chiamata del Santo, l'idea di partenza fu in parte modificata, poi abbandonata del tutto per una composizione assai più irregolare e mossa nel contrasto tra la potente plasticità dei corpi e uno spazio oscuro dagli incerti confini. L'evento reso come un episodio attuale di violenza omicida nell'interno di una chiesa diventava così in pari tempo un cupo fantastico dramma sacro.
(Gian Alberto Dell'Acqua, 1983).

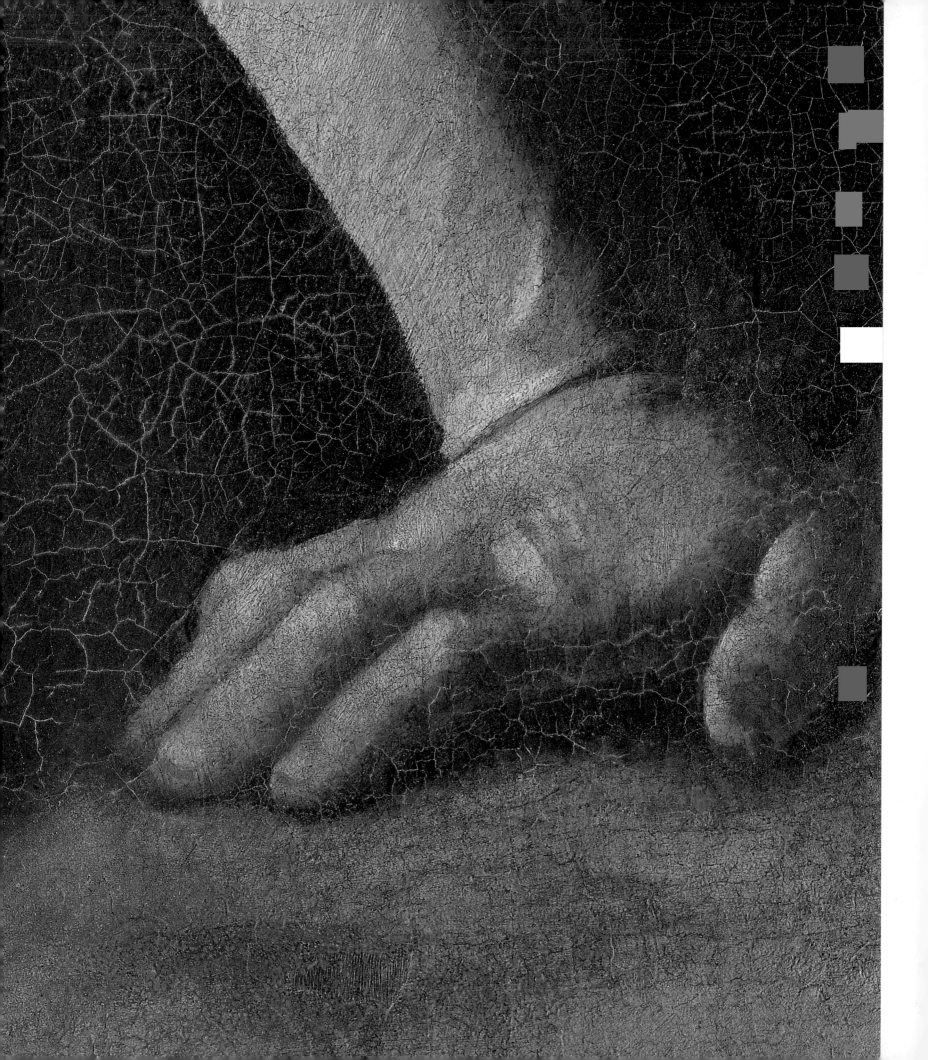

Nella concitata drammaticità dell'assassinio del Santo, il Caravaggio ha rappresentato le diverse reazioni emotive della folla. Fra i presenti ha inserito anche il proprio autoritratto. Caravaggio ha ritratto se stesso come un giovane dal viso segnato, con capelli incolti, baffi spioventi, una rada barba e un'espressione tesa e pensosa.

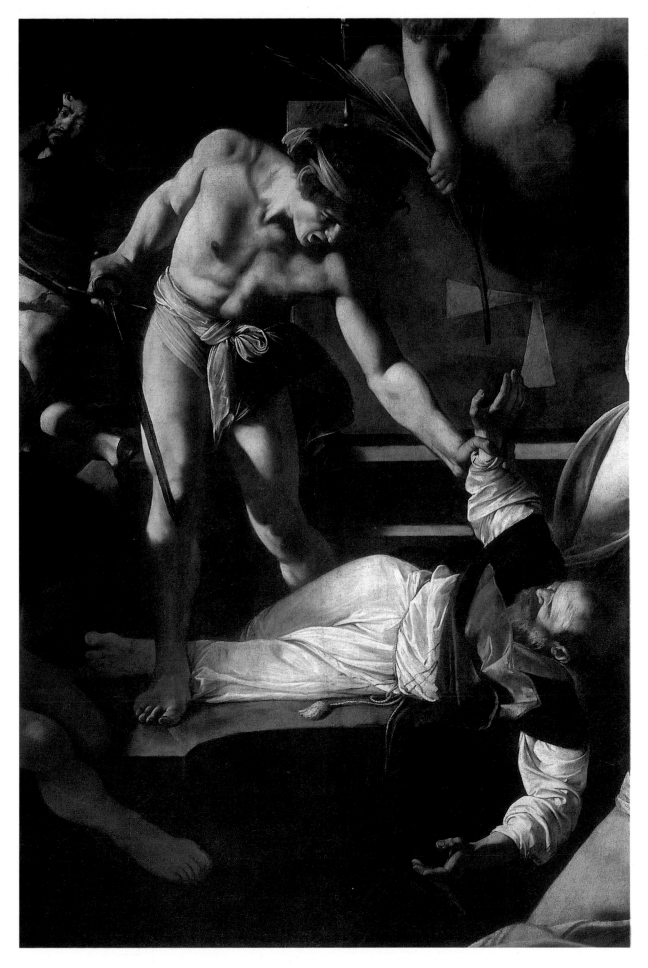

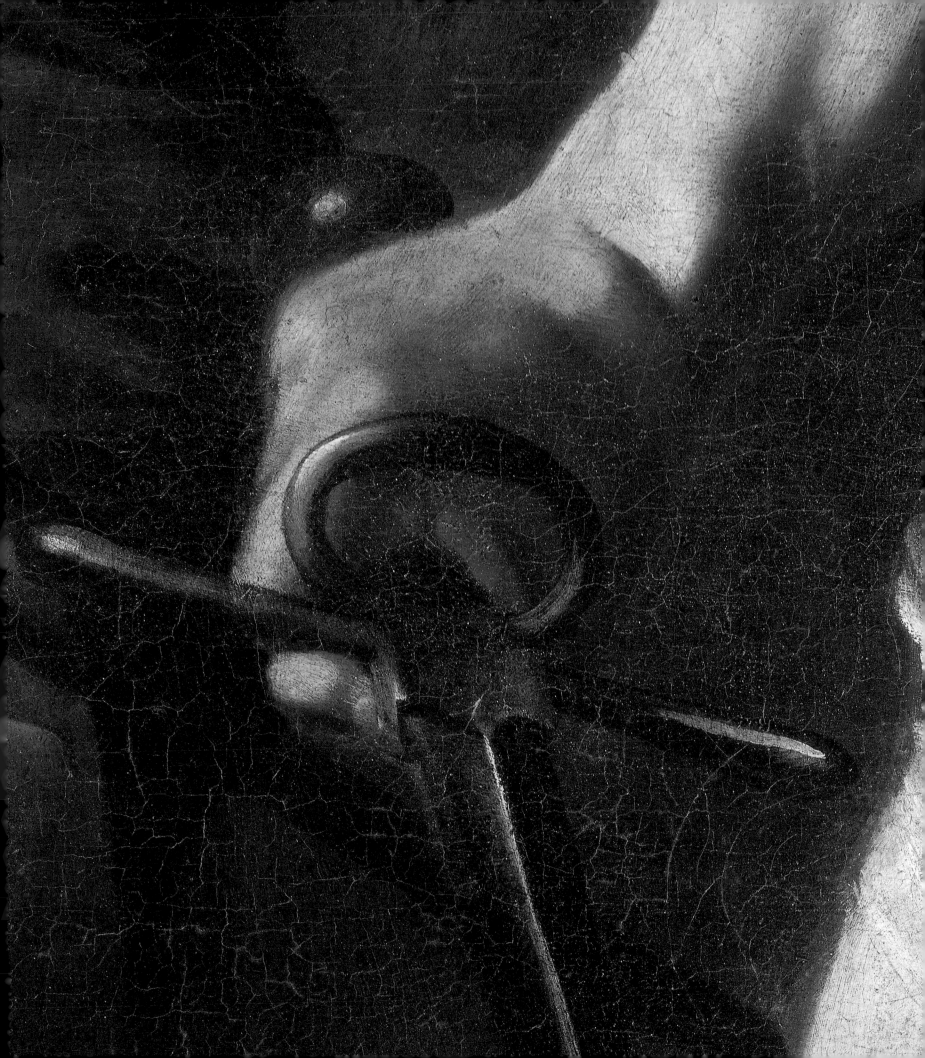

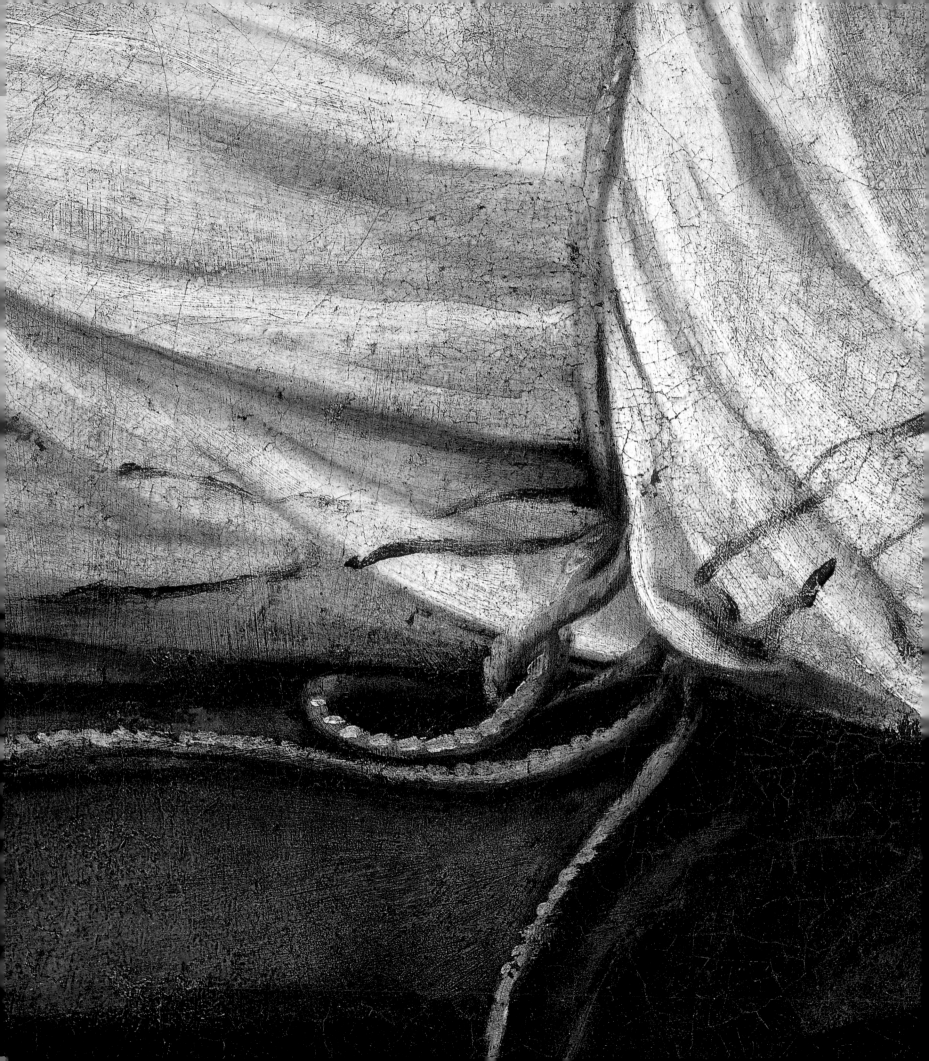

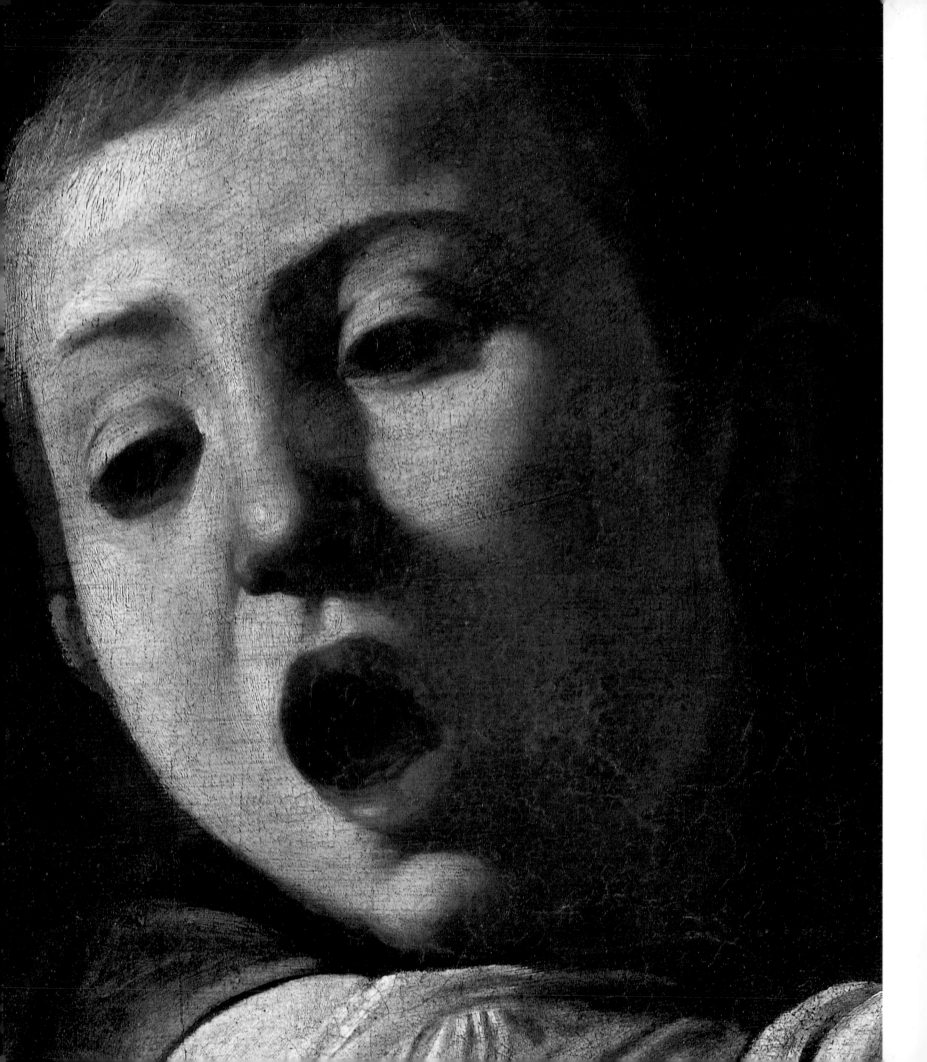

San Matteo e l'angelo
1602
olio su tela, 295 × 195 cm
Roma, chiesa di San Luigi
dei Francesi.

Che il formato della tela [per pareggiare i due quadri laterali] dovesse, crescere assai più d'altezza che di larghezza, non fu l'ultima ragione che suggerì al Caravaggio di concedere, e per la prima volta, che gli angeli, almeno gli angeli, possano volare. E sia pure che la solita dialettica lo stimolasse a immaginarne uno sorretto in aria dallo schiocco dell'enorme accappatoio, quasi a guisa di paracadute. Ma in tal forma, almeno secondo il "decoro" dell'epoca, l'angelo poteva dar le sue spiegazioni *ab alto* e il santo, non più duro di cervice come nella prima versione, semmai d'orecchio, doveva, per sentir meglio quel che trascrivere nel registro aperto sul tavolo d'architetto, rizzarsi dallo sgabello; poggiandovi un ginocchio però e, ad ogni attacco di frase, prillandolo verso di noi fino a farlo sbandare nel vuoto, oltre il dipinto stesso. Questo forte effetto illusionistico, rinforzato dal punto di vista dal basso, trovò poi un magico accordo sia con l'adozione di un costume aulico, ma immanente, e cioè che indossa bene ogni tempo e quasi non si può datare, sia con l'invenzione di un colore inedito, quasi fluorescente sull'oscurità, e che accozza i due toni, affini e pur distinti, di giallo e arancione che si scorzano dall'alto nella tunica e nel mantello del santo; per questa parte, una rivelazione già rembrandtiana. Nell'insieme, tuttavia, non è da negare che il quadro fa più di una concessione al "decoro" richiesto dai tempi e dal luogo. Il manto ricade in basso con una falda lunga, lanceolata, elegante quasi come, più tardi, nel Mochi; e di nuovo sboccia con eleganza di sépali attorni alle mani ch'eran già moderne: naturali, "senza disegno", tutte a incisi tonali, a tacche, a tasselli, a cordelle di vene, tra rughe e pelle. (Roberto Longhi, 1968).

Giuditta e Oloferne

1598-1599
olio su tela, 144 × 195 cm
Roma, Galleria Nazionale d'Arte
Antica, Palazzo Barberini.

Il Caravaggio qui si cimenta nel fatale soggetto biblico rappresentato nell'istantaneità dell'acme dell'azione violenta [...]. Il fondamento empirico e sperimentale di questi interessi che si estendevano anche all'espressione, ai "moti", aveva rimesso in gioco motivazioni che risalivano alla tradizione lombarda e leonardesca, un'ascendenza che in quest'opera si manifesta anche nel profilo grottesco della vecchia assistente, i cui occhi sbarrati ricordano quelli del compare nel quadro dei *Bari*. La *Giuditta e Oloferne* è l'inizio della lunga serie di temi violenti trattati dal Caravaggio e nei quali il pittore approfondirà i pensieri dominanti, il significato tragico della vita e il conflitto tra persecutori e vittime. All'assunto centrale si intreccia un altro motivo, il "contrapposto" tra la bellissima, vittoriosa Giuditta e l'orribile assistente che allude al contrasto tra la giovinezza e la vecchiaia e ad altri concetti affini. Il sostrato manieristico della densa tessitura tematica della storia di Giuditta riporta anch'esso a precedenti lombardi. [...]
La *Giuditta e Oloferne* appartiene al momento in cui il Caravaggio affronta le rappresentazioni più complesse della pittura di storia, da lui intesa come azione istantanea e violenta, e studia contestualmente effetti di luce più contrastata su fondi scuri.
(Mina Gregori, 1991-1992).

Martirio di San Pietro
1600-1601
olio su tela, 230 × 175 cm
Roma, chiesa di Santa Maria del Popolo.

Le cose accadono con un'evidenza incolpevole dove ognuno attende all'opera sua. La desolazione insomma è nel fatto stesso su cui sta allo spettatore di giudicare. Sulle rocce brune che saranno (con quella luce negli occhi) l'ultimo ricordo del martire, presso la cava di pozzolana o la calcara di San Pietro in Montorio, il pittore, impassibile, "gira" la fatica dei serventi (il cui gesto, è doveroso riconoscerlo, è di operai che si affaticano e non di carnefici che incrudeliscano nella bisogna), tutti in giubboni e brache frusti, baveri sgualciti (e pur rifiorenti nel lume), piedi fangosi e con i pochi attrezzi; E riprende da vicino il santo, forse notissimo modello buono di via Margutta, che, già infitto alla croce, ci guarda calmo, cosciente come un moderno eroe laico; mentre il mantello bigioazzurro va scivolando in un angolo sotto l'ombra del badile brunito, accanto al pietrone friabile e caldo come un pane ancora impolverato dalla cenere del forno.
(Roberto Longhi, 1968).

Terminata l'esecuzione dei dipinti per San Luigi dei Francesi, il Caravaggio ottenne una nuova commissione di grande prestigio: i due dipinti laterali della cappella Cerasi in Santa Maria del Popolo. In questo caso, la pala d'altare è di un altro maestro (l'Assunta, opera di Annibale Carracci): i rimandi fra i due quadri con San Pietro e San Paolo sono però tanto forti e stringenti da creare un dialogo serrato e di forte emozione.

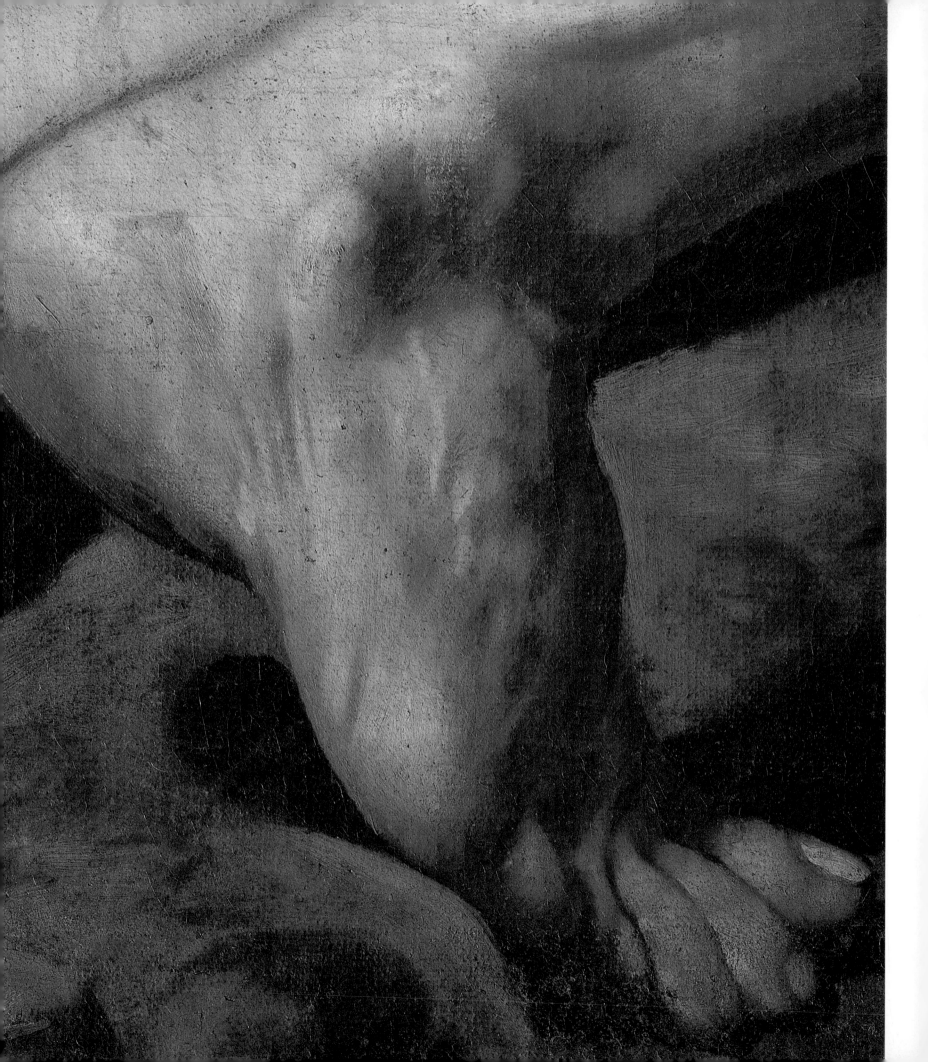

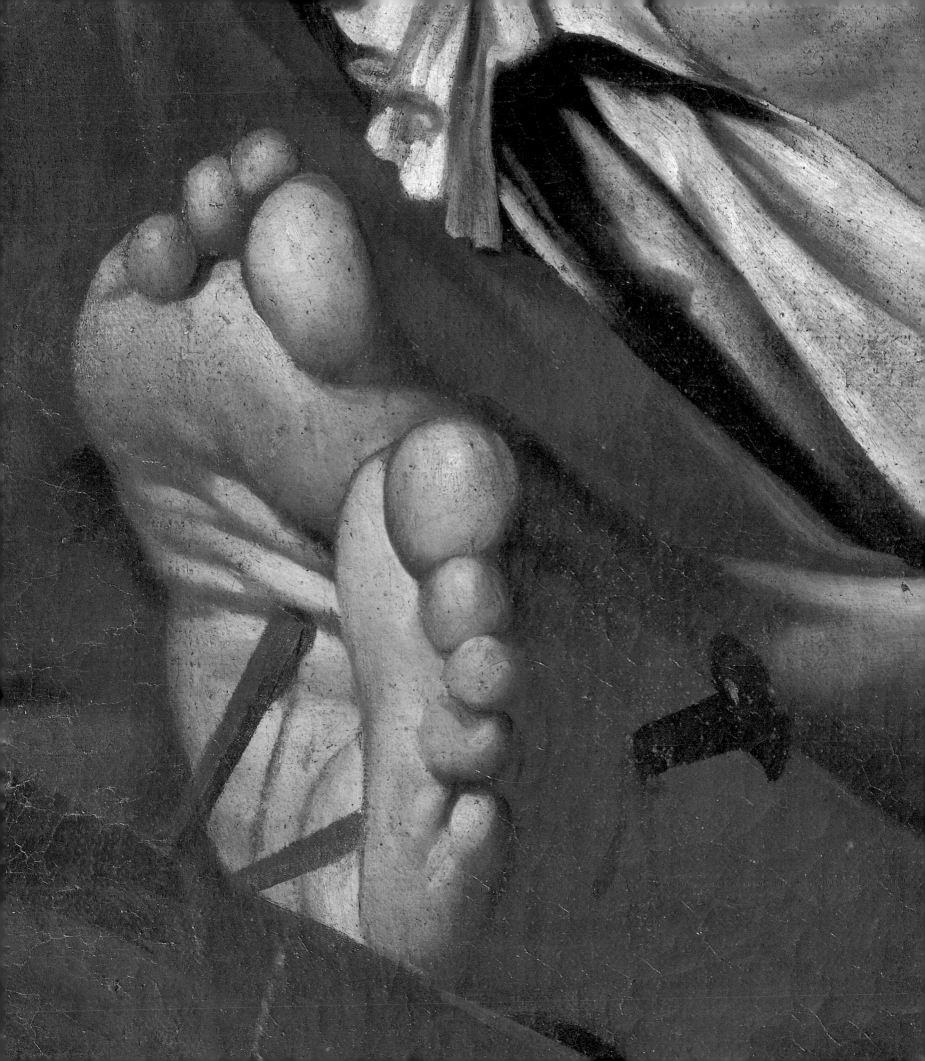

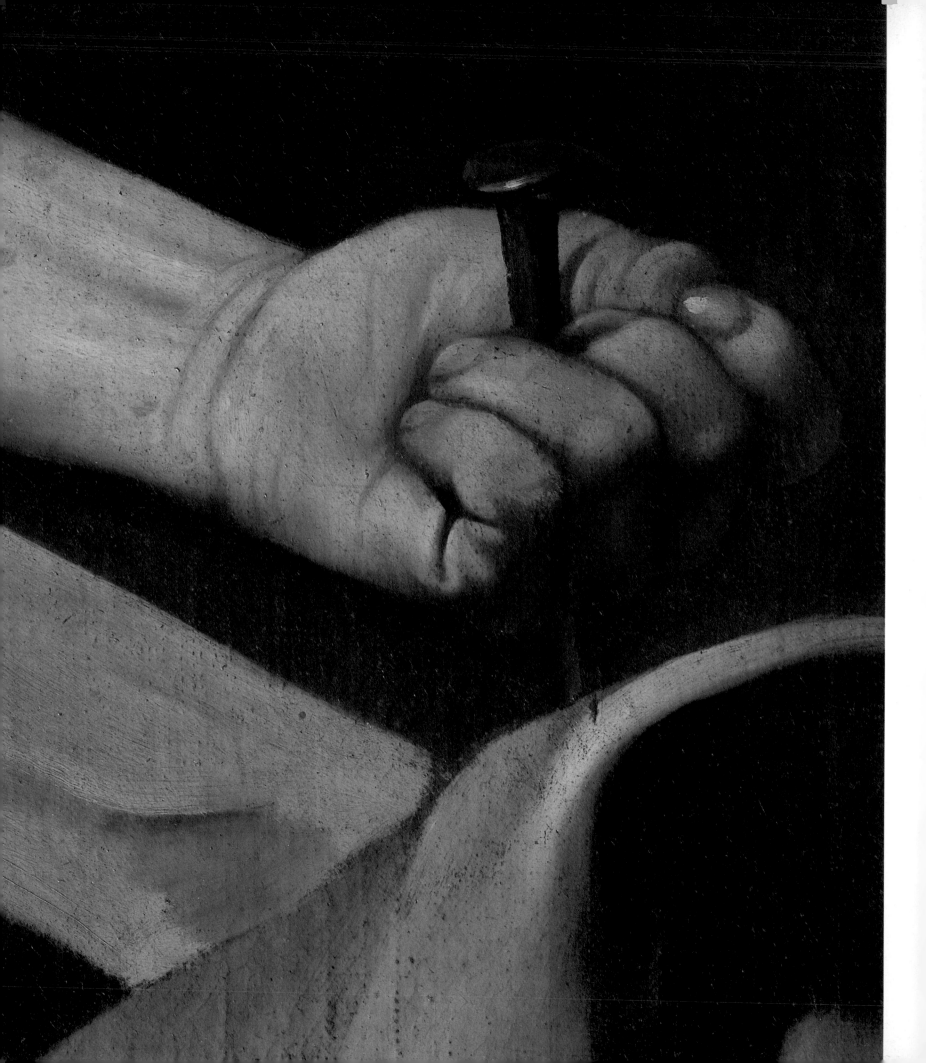

Conversione di San Paolo

1600-1601
olio su tela, 230 × 175 cm
Roma, chiesa di Santa Maria
del Popolo.

Un dipinto di Caravaggio è composto in modo differente rispetto a quello degli altri pittori del suo tempo, per i quali l'opera non è che lo svolgimento di una azione teatrale, o di un pensiero, ciò che implica che tutti i loro componenti siano sotto i nostri occhi, nello spazio delimitato dalla cornice.

Caravaggio taglia un personaggio a metà, come gli rimprovera l'Albani, il suo San Paolo trova appena posto nella *Vocazione* di Santa Maria del Popolo, tutta occupata dal grande cavallo bagnato di luna, e questi spostamenti, questi *close-up*, fanno sì che non si vedano più queste figure come momenti di una storia, ma come esseri concreti, pronti a uscire dai quadri per riprendere dei luoghi che saranno, al tempo stesso, dell'esistenza sulla terra e della trascendenza di cui sono dotate ai nostri occhi le figure intense dei grandi artisti. C'è qualcosa, nello stile di Caravaggio, che suggerisce sempre questi "fuori dal quadro", e nella stessa notte ambigua, insieme deprimente ed esaltante, che il suo chiaroscuro propone alla nostra attenzione. (Yves Bonnefoy, 1988-1989).

Prima di giungere a questa inedita soluzione compositiva, il Caravaggio ha eseguito una versione del tutto differente del soggetto (oggi nella collezione Balbi Odescalchi a Roma). Solo in una seconda fase il pittore preferì una redazione ridotta al numero minimo di personaggi, apparentemente dominata dalla mole del cavallo pezzato. L'episodio della Caduta di Saulo perde così il carattere di evento pubblico e si traduce in chiave intima, ma non meno intensa.

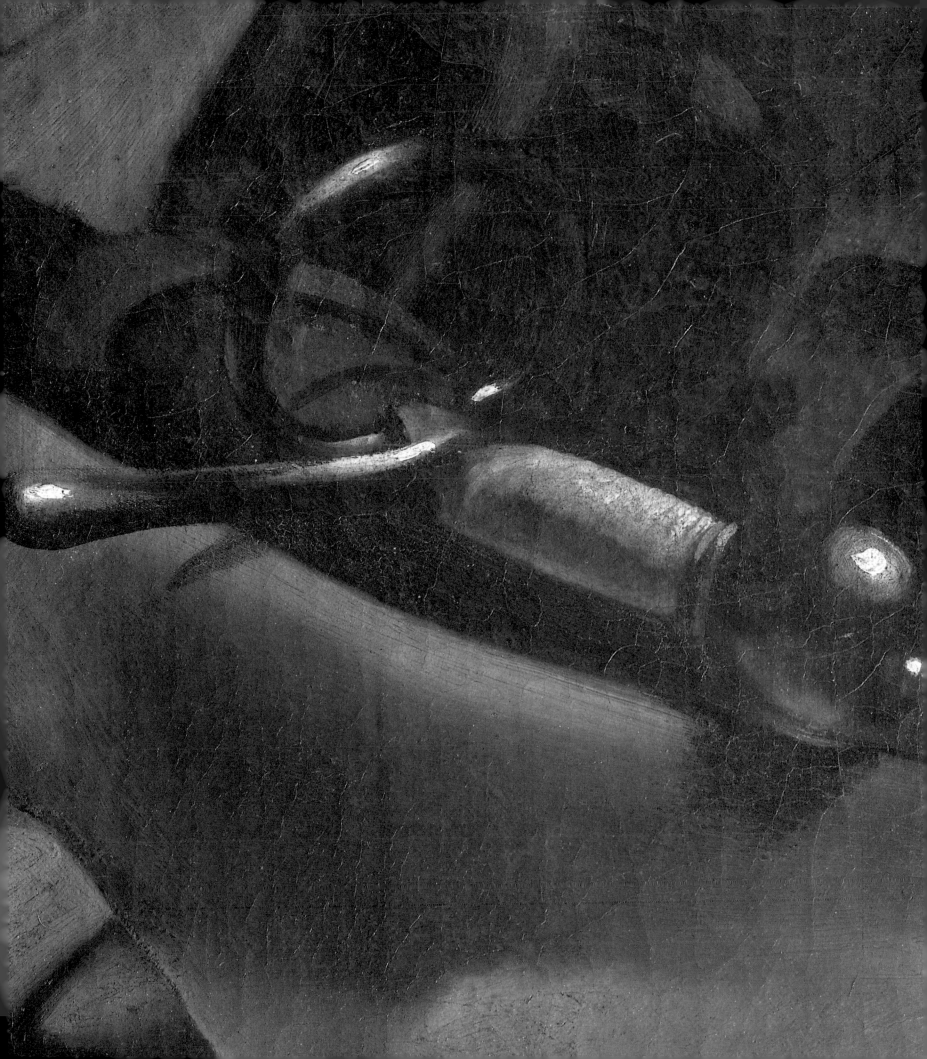

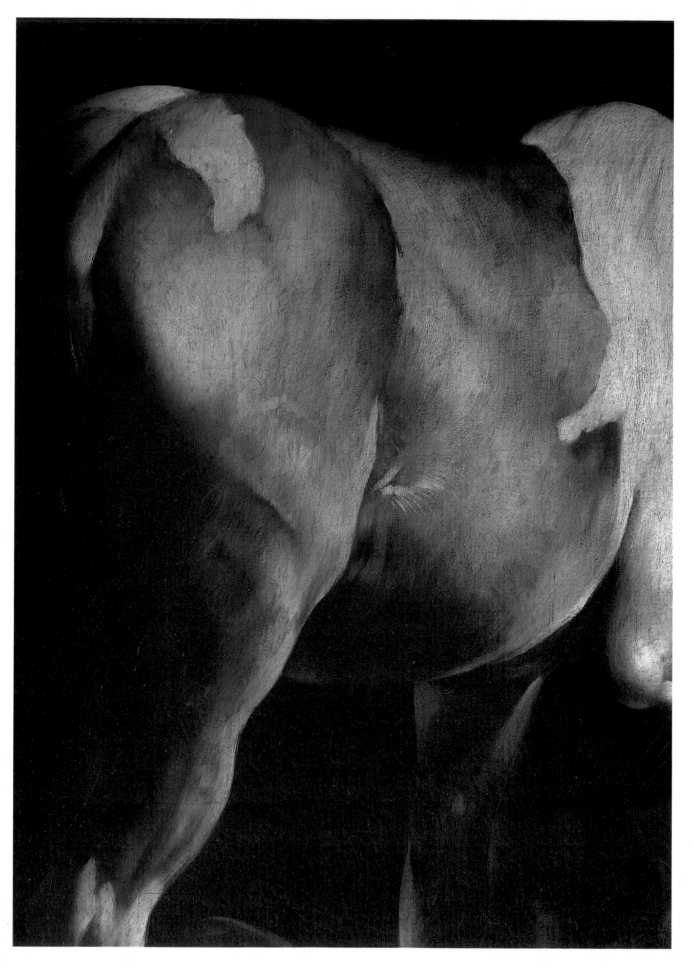

Sacrificio di Isacco

1603 circa
olio su tela, 104 × 135 cm
Firenze, Galleria degli Uffizi.

Basta avere un po' di familiarità col Caravaggio per notare subito in quest'opera le sue forme e il suo vangelo artistico: la testa di Isacco non è altro che la testa della *Medusa* degli Uffizi, colla stessa intenzione stilistica di larghi e semplici piani, colla stessa bocca aperta a perfetto ovale, motivo ripetuto dal

Caravaggio nel ragazzo che grida nel *Martirio di San Matteo* a San Luigi dei Francesi e accennato anche nella testa di Golia nel *David* della Borghese […]. Se il paese del *Riposo in Egitto* è di una novità sorprendente con quei pioppi evanescenti nell'aria – che sembrano persino preannunciare Corot! – anche questo del *Sacrificio*

d'Isacco è altrettanto nuovo per "modernità" di pittura còlta dal vero con immediatezza. Il nesso compositivo del quadro – ricerca di primaria importanza nel Caravaggio – è degno di lui e ottenuto in maniera semplice e naturale attraverso lo snodarsi, dall'Angiolo al montone, delle linee

vitali delle figure, sì da formarne una tutta accidentata che, a seconda del suo addentrarsi o emergere per le anfrattosità delle forme, provoca bagliori o tenebre violente e si dilegua finalmente a destra, dove si direbbe dia un ultimo guizzo di luce nel corno dell'ariete. (Matteo Marangoni, 1953).

Incoronazione di spine
1603 circa
olio su tela, 127 × 165,5 cm
Vienna, Kunsthistorisches Museum,
Gemäldegalerie.

Deposizione

1602-1604
olio su tela, 300 × 203 cm
Roma, Pinacoteca Vaticana.

Un monumento incidentale di
popolo attonito, sorpreso dalla luce
girevole sulla bocca dell'antro
oscuro, salvo il cono di luce a
spiraglio sul fondo; quasi che, dopo
un crollo nel cunicolo della cava,
riemerga sulla plancia oscillante
della pietra tombale recando in
salvo almeno il corpo del più forte
(eppure colpito dal comune
destino). Portato così vicino a noi,
tutti ci torna chiaro, vivido,
incombente: straziante nei colori, a
bella posta discordi di rosso, verde,
arancione; e azzurro marino [...].
(Roberto Longhi, 1968)

Morte della Vergine

1605-1606
olio su tela, 369 × 245 cm
Parigi, Musée du Louvre.

Superato ogni virtuosismo,
pittorico e iconologico, l'artista
coglie la sintesi organica del
quadro, per cui ogni elemento
concorre al tragico risalto della
protagonista, tra le figure degli
astanti quasi accalcate e in gran
parte costruite su assi verticali.
A questo fine viene piegato ogni
espediente tecnico: le figure
di almeno sei apostoli e della
Maddalena sono ricondotte (pur
nelle diverse soluzioni) a un unico
modulo, la luce cade trasversa su
tutti gli astanti, raccogliendosi nella
massa orizzontale della Vergine, la
voluta incompiutezza di molte parti
delle figure di contorno esalta la
sontuosità della cortina rossa, che,
ricadendo in rivoli di luce scarlatta
dalla parte alta del quadro verso
quella bassa, toglie allo sfondo
il suo valore di vuoto [...].
Questa, che è tra le ultime opere
pubbliche, autentico capolavoro
del momento, è destinata ad avere
comunque un duro impatto con
la morale controriformistica e
bacchettona del committente, non
certo in grado di sostenere il
cumulo di accuse che le si riversa
addosso fino dall'esordio.
Caravaggio ha interpretato alla
lettera i temi concettuali e religiosi
di una tela destinata a un *altare
mortuorum* e il catino di rame
(accosto al letto funebre), in basso,
quasi al centro, contenente la
soluzione d'aceto pronta per il
lavaggio del cadavere, è la cruda
(anche se forse inconscia)
attestazione di una sfiducia nella
resurrezione e dell'assunzione in
cielo (finanche della stessa Madre
di Dio).
(Maurizio Marini, 1987).

*Rifiutata dai canonici di Santa Maria
della Scala, la pala venne tolta
dall'altare e acquistata dal Rubens nel
1607 per conto del duca di Mantova.*

Madonna dei pellegrini

1604-1606
olio su tela, 260 × 150 cm
Roma, chiesa di Sant'Agostino.

La *Madonna di Loreto*, dipinta per la
cappella della Madonna di Loreto
a Sant'Agostino con un lascito di
Ermete Cavalletti, ha ancora in
comune con la *Deposizione* e con
i quadri Cerasi la composizione
diagonale, l'*eye level* basso e la
visione ravvicinata. Ma l'intensa
oscurità spaziale avvolge
maggiormente le figure, non le
evidenzia dal punto di vista
scultoreo così fortemente come
nella *Deposizione*. Mentre in genere
la Madonna di Loreto è
rappresentata sulla sua Santa Casa,
in cui è nato Gesù, mentre,
troneggiante e in atto di tessere,
viene trasportata dagli angeli, qui la
Madonna è appoggiata al portale di
una casa romana e sorregge il Gesù
Bambino chiaramente illuminato
che benedice i pellegrini, verso
i quali essa guarda.
L'idea di far venerare la Madonna
raffigurata come una semplice
popolana davanti a un portale, in
diretto contatto fisico coi pellegrini,
da questi due pellegrini del popolo
minuto, visti di spalle e che
mostrano i loro piedi nudi e
sporchi, era assolutamente nuova
e suscitò scalpore soprattutto
presso il popolino che vi si era
riconosciuto (Baglione: "da'
popolani ne fu fatto estremo
schiamazzo"). La *Madonna di Loreto*
è il quadro di Caravaggio che più
commuove dal punto di vista
umano, basato com'è sull'incontro,
sulla stretta prossimità dei
pellegrini pii e pieni di speranza,
che rappresentano l'umanità intera,
e la Madonna col Bambino che
porta amore, benedizione e
redenzione.
(Erich Schleier, 1988).

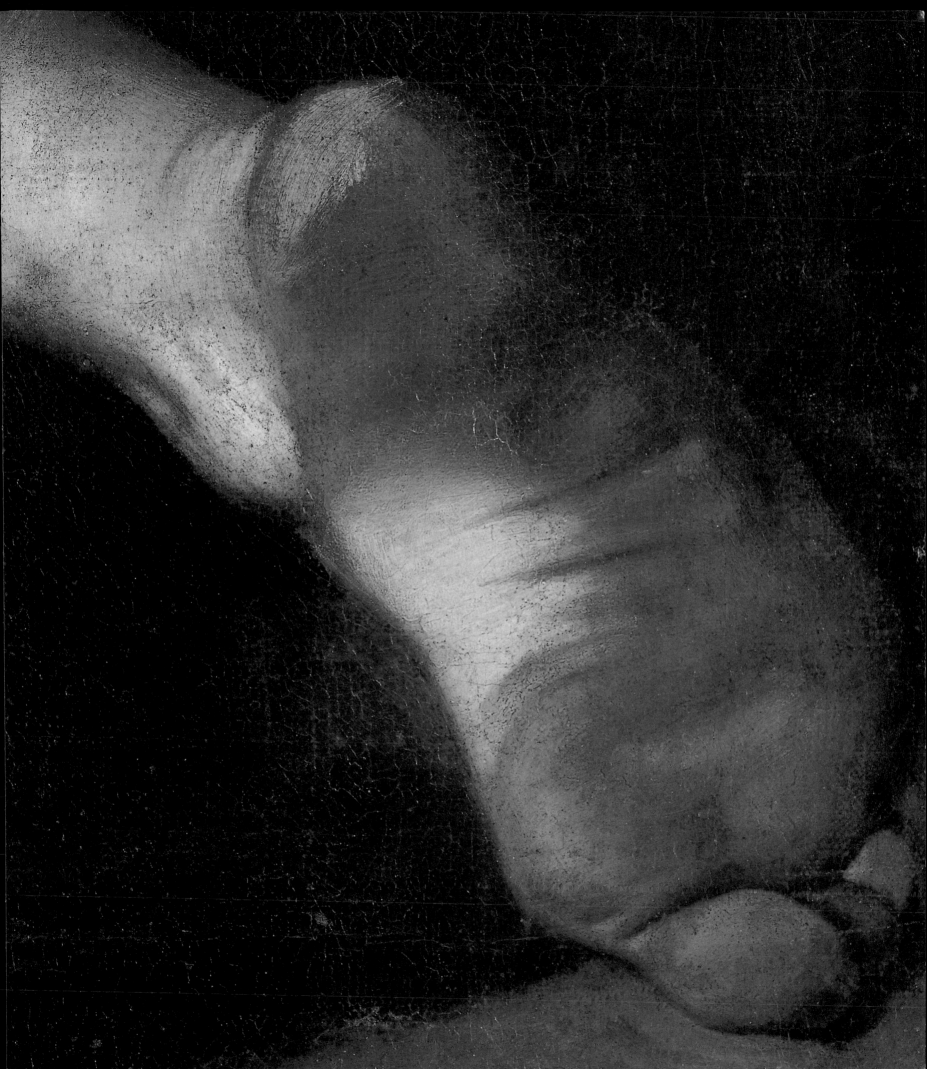

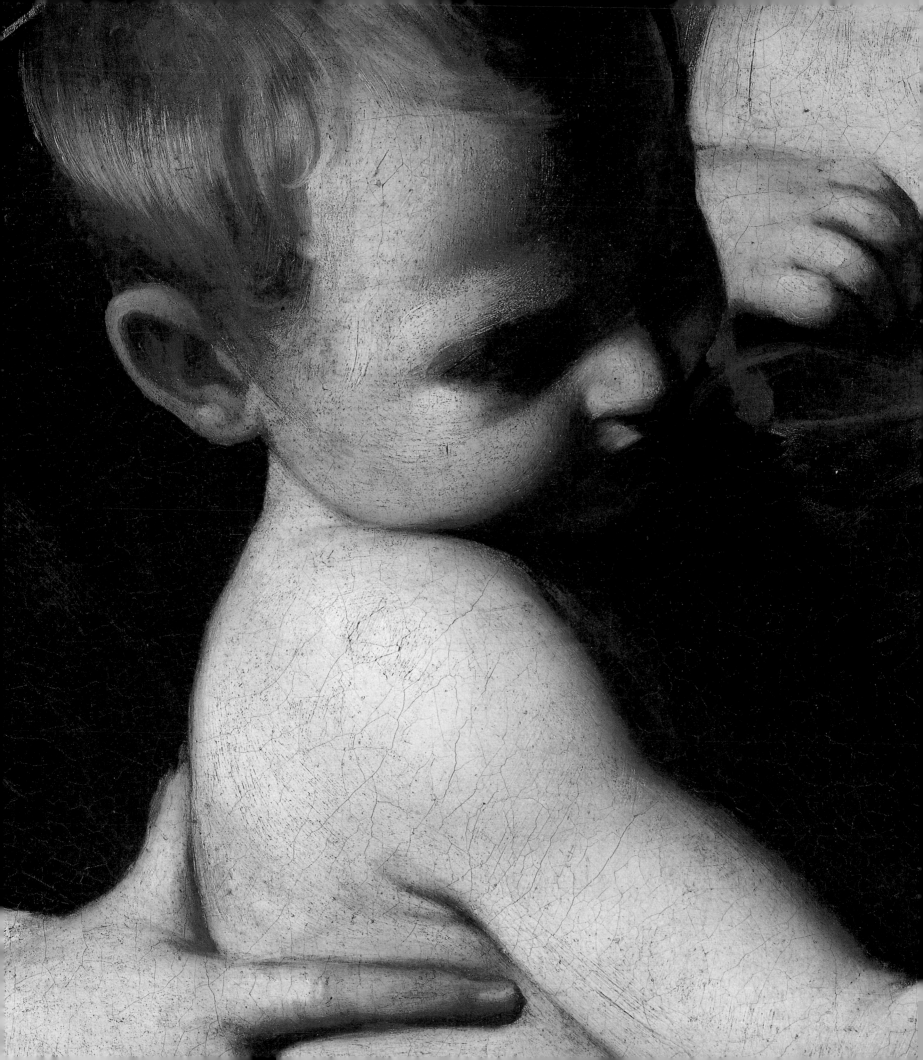

Madonna dei palafrenieri

1605-1606
olio su tela, 292 × 211 cm
Roma, Galleria Borghese.

Che, proprio nell'occasione più responsabile e ambita, il Caravaggio si sentisse spinto alla interpretazione più cruda? Chi ripensi ai giorni travagliati in cui l'opera fu condotta (è probabile che il termine della commissione fosse il 26 luglio 1605) può disporsi ad ammetterlo. Infatti, con tutto ch'egli sapesse l'argomento legato al simbolo liturgico dell'Immacolata Concezione, il tono dominante dell'opera suona così sversatamente "plebeo". La Sant'Anna, vecchia cioccia; la Madre in veste rimboccata da lavandaia; il Bambino, nudo come Dio l'ha fatto; una robusta famiglia, non c'è che dire, che si sofferma sull'androne della scuderia (dei palafrenieri?) a schiacciarvi quell'innocuo biscione da fossi. Perché buttarsi così allo sbaraglio? Che il rifiuto, insomma, non potesse mancare da parte dei veri committenti (non i palafrenieri di Palazzo, intendo, ma "i Signori Cardinali della Fabbrica") era già scontato. Il Caravaggio, come non manca di chiarire un biografo assai deferente alle esigenze dell'epoca, vi aveva "ritratti vilmente la Vergine con Giesù fanciullo ignudo". *Non expedit.* Anche a non contar la Sant'Anna, vecchiaccia impresentabile, ce n'era d'avanzo. (Roberto Longhi, 1968).

Dipinta nel 1605-1606 per la confraternita dei palafrenieri del Vaticano, l'opera era destinata alla basilica di San Pietro: questa collocazione, la più prestigiosa per un dipinto romano, testimonia la fama raggiunta dall'artista. L'inconsueto gesto dei piedi della Madonna e del Bambino va collegato al tema dell'Immacolata Concezione e della vittoria sul maligno.

Cena in Emaus

1606 circa
olio su tela, 141 × 175 cm
Milano, Pinacoteca di Brera.

La luce contrasta con i prevalenti toni terrosi del fondo, assimilati dalla preparazione. La pittura rapida, in certe parti sommaria, e poco più elaborata del primo abbozzo, collabora al risultato emotivo che punta sui valori essenziali del tema e alla sua risonanza sentimentale. Il Cristo non è più giovane e imberbe come nella versione di Londra, ma maturo e meditabondo, la mano delicata, appoggiata al tavolo, si differenzia da quella più scura e rude del pellegrino di destra che le è vicina. Gli apostoli esprimono la sorpresa senza i gesti amplificati e dimostrativi del quadro londinese e l'oste e la vecchia serverite sono anch'essi direttamente partecipi. Come ha notato Calvesi, nei confronti dell'*Emaus* di Londra qui il Caravaggio ha presentato il momento successivo, quando il pane è già stato spezzato e il gesto di benedire ha un significato di congedo perché subito dopo il Cristo "sparì ai loro sguardi" (Luca, 24, 31). (Mina Gregori, 1992).

Davide con la testa di Golia

1605-1606 (o 1610)
olio su tela, 125 × 101 cm
Roma, Galleria Borghese.

Lungo lo "sguscio" della spada (dove solitamente l'armaiolo firma il proprio manufatto, o incide un motto) compaiono delle lettere, relativamente ben leggibili. Credo che esse siano allusive a un motto, non difficile da sciogliere per il destinatario del dipinto o per chi, all'epoca, avesse pratica di emblemi religiosi. Rilevando l'interpretazione umile, antieroica, cristologica e l'autoritratto in Golia, emblema del maligno, è chiaro che il motto inciso nello sguscio della spada, strumento finale della Giustizia, dipenda da "H(umilit)AS O(ccidit) S(uperbiam)". In un certo senso, si possono rammentare i quadri-rebus con brani musicali del periodo romano, ma, in questo caso, sono evidenti la confessione, l'"auto da fé", dell'omicida superbo e fuggiasco, nonché la sua umile (e disperata) richiesta di grazia attraverso un emblema biblico della giustizia divina.
(Maurizio Marini, 1987).

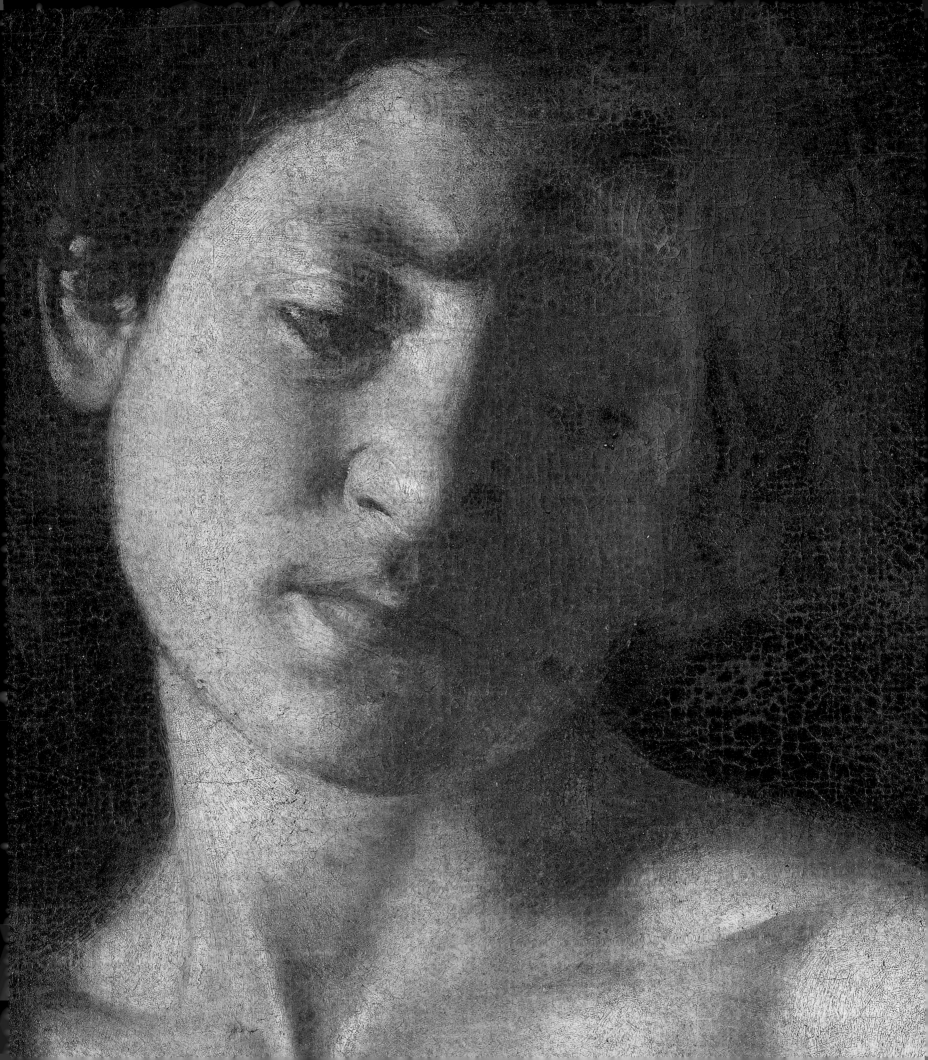

San Francesco in meditazione

1605-1606
olio su tela, 130 × 90 cm
Cremona, Museo Civico.

Il Santo è inginocchiato sulla terra, ad esaltazione dell'umiltà, e contempla il Crocifisso appoggiato al libro aperto, a sua volta sostenuto dal teschio a costituire un'impressionante natura morta-vanitas che occupa il primo piano come richiamo per il riguardante. [...] L'intensa introspezione espressa nei tratti profondamente veridici del viso concentrato, con la fronte segnata da innumerevoli rughe, quasi a identificare sé stesso nel Santo penitente (si è proposto, credo infondatamente, che possa trattarsi di un autoritratto) e nell'atteggiamento della testa rivolta verso il Crocifisso, appoggiata alle mani intrecciate, si assommano ai caratteri stilistici e ad altri riscontri che fanno decidere per l'attribuzione al Caravaggio [...]. L'autografia si riconosce nelle lunghe e sicure pennellate che costruiscono le pieghe nelle emergenze e nei chiari e ne segnano le curve caratteristiche del pittore, irradiandosi dai punti di emergenza con tratti di cui la pulitura ha evidenziato l'eccezionale immediatezza pittorica e l'efficacia nel rappresentare la situazione luminosa del recesso solitario e boscoso. Analogamente i bordi delle maniche e delle pagine del libro e i contorni delle cavità del teschio sottolineati dalla luce, la lampeggiante illuminazione sul saio dietro la testa del Santo, la trama delle rughe e della luce e dell'ombra sul volto del Santo, la barba rada dipinta nella fase finale al di sopra del tono chiaro della mano, la forma astratta della mano in luce, la conduzione "a bozzolo" delle pennellate sull'osso frontale del teschio nel punto della massima luce sono particolari caratteristici del Caravaggio per chi abbia dimestichezza con il suo modo di dipingere.
(Mina Gregori, 1987).

Flagellazione di Cristo
1607
olio su tela, 135 × 175,5 cm
Rouen, Musée des Beaux-Arts.

131

Sette opere di misericordia
1606-1607
olio su tela, 390 × 260 cm
Napoli, Pio Monte della Misericordia.

Quello delle "Opere di Misericordia" era un soggetto antico, comunale, romanico che gli sarà venuto incontro inevitabilmente, non appena giunto, in qualche crocicchio famoso, rimescolato tra ricchi e poveri, tra miseria e nobiltà. Ed è curioso ch'egli vi si serva persino di citazioni antiche: Cimone e Pero gli torna bene per la popolana che allatta il vecchio alla grata della prigione; il gentiluomo che sfodera la spada vuole spartire – come San Martino – il suo mantello col mendicante ignudo; l'oste e l'albergatore – forse quello, tedesco, che teneva l'albergo del Cerriglio presso Santa Maria la Nova – dànno da bere all'assetato che si serve all'uopo, come Sansone, della mascella d'asino. Almeno tre citazioni remotissime. E la camera scura è trovata all'imbrunire in un quadrivio napoletano sotto il volo degli angeli-lazzari che fanno la "voltatella" all'altezza dei primi piani, nello sgocciolio delle lenzuola lavate alla peggio e sventolanti a festone sotto la finestra cui ora si affaccia una "nostra donna col bambino": belli entrambi come un Raffaello "senza seggiola" perché ripresi dalla verità nuda di Forcella o di Pizzofalcone. (Roberto Longhi, 1968).

Capolavoro del primo periodo napoletano e punto di riferimento costante per la pittura barocca nel Meridione, il dipinto riassume in un'unica scena, in forma abbreviata e sinottica, le sette opere di misericordia corporale, e precisamente: dar da bere agli assetati, vestire gli ignudi, seppellire i morti, alloggiare i pellegrini, dar da mangiare agli affamati, confortare gli infermi e visitare i carcerati.

Decollazione di San Giovanni Battista

1608
olio su tela, 361 × 520 cm
La Valletta (Malta), Co-Cattedrale
di San Giovanni, oratorio.

La visione di quest'opera lascia in un silenzio attonito, come davanti a qualcosa che al tempo stesso ci coinvolge e ci trascende; ma non si può poi leggere la firma senza provare un brivido, perché quella firma è ricavata nel color rosso, cioè nella pozza di sangue che sgorga dal tronco del Santo decollato, con un'efficacia drammatica che immediatamente richiama l'esistenza del pittore e il peso del "bando capitale" da cui si

sentiva perseguitato. Questo era il segreto che l'artista teneva per sé, ma che dové di lì a poco essere scoperto, causando il suo arresto, la conseguente evasione e poi la fuga attraverso la Sicilia.
La luce, come sobbalzante, evoca l'ultimo palpito di vita nel corpo del martire che è caduto bocconi, con le mani legate dietro la schiena. L'azione è colta al suo culmine. Il carnefice, che ha già inferto il taglio di spada, si appresta ora a trarre il

corto pugnale con cui finirà di recidere il collo, portando il "colpo di grazia".
La giovane donna (Salomè) porge impaziente il vassoio in cui sarà collocata la testa come ordina il gesto del carceriere, mentre la vecchia ha un moto di orrore e di pietà. La corda che pende abbandonata dall'anello murato, sul lato destro, lascia intuire quanto può essere avvenuto appena prima, quando il Santo è stato slegato da quell'angolo e portato in avanti. Il rapporto tra spazio e figure è

modificato rispetto ai dipinti dei precedenti anni ampliando il vuoto, immerso in una muta penombra, che drammatizza, in una modulazione sospesa e rientrante le stesure atonali di Tiziano. I corpi hanno perso del tutto il loro plasticismo, per vibrare con i filamenti di una luce che non si ordina più in grandi registri, ma rompe in accensioni che sono come fremiti, smangiando le forme.
(Maurizio Calvesi, 1986).

Cavadenti

1608-1609
olio su tela, 139,5 × 194,5 cm
Firenze, Galleria Palatina.

Il ritorno a un soggetto di genere (che aveva anche un significato morale nelle interpretazioni degli artisti nordici) stimolò il Caravaggio a rappresentarlo in chiave caricata marcando l'espressione del cerusico, in modo molto simile al compare del quadro giovanile dei *Bari*. La vecchia curiosa che si affaccia sulla destra risulta familiare a chi ricordi l'assistente di Giuditta nella tela della Galleria Barberini e la servente dell'*Emaus* di Brera. Nel paziente che con la mano fende la luce ritroviamo il gesto di uno degli astanti al *Martirio di San Matteo* e di Maria di Cleofe della *Deposizione* vaticana. Per restare alle mani – uno dei punti nodali e critici della pittura del Caravaggio – si noteranno anche nel *Cavadenti*, come spesso nelle opere sicure, diversi modi di rappresentarle e scorciarle. In questo dipinto (e analogamente nel *Cavaliere di Malta* oggi accettato dalla generalità degli studiosi), il pittore porta alle estreme conseguenze la tendenza, già adottata largamente negli anni romani, di eludere le convenzioni grammaticali del disegno seguendo principi che risalivano all'empirismo lombardo del Savoldo, del Moretto e del Romanino.
(Mina Gregori, 1991).

Ritratto di gentiluomo

1604-1605 circa
olio su tela, 72,5 × 56,5 cm
New York, collezione privata.

Nella descrizione del viso placido del gentiluomo si nota la semplicità dei mezzi pittorici con cui sono distribuite le zone del colore e caratterizzati i tratti, il naso schiarito con un colpo di luce secondo una consuetudine che si trova nella ritrattistica del Tintoretto e di nuovo nel Rubens, e la bocca non perfettamente in asse e che, al pari degli occhi, rivela l'esecuzione diretta e senza disegno. Considerazioni simili si traggono dall'esame della grande lattuga, di cui il Caravaggio ha riprodotto, come non è riuscito a nessun altro, l'andamento irregolare e quasi l'instabilità evitando di darne, come spesso si verifica anche nei pittori caravaggeschi, una rappresentazione analitica e ferma. Il medesimo si può dire della croce sull'abito del *Cavaliere di Malta* di Pitti che segue nella sua irregolarità il molle andamento del corpo. L'artista ha costruito la lattuga con potenti pennellate di bianco, ma non raffinate, ha utilizzato la preparazione per le parti in ombra, e come spesso nelle sue opere, ha dosato i bianchi per sottolineare la diversa intensità con cui la luce li ha raggiunti.
Ammiriamo, infatti, nella superficie della lattuga la potenza dei bianchi, ma, ancora più forte, quasi fosforescente è il candore dei segni che ne chiudono le canne nella parte inferiore e che si riaccendono nella penombra.
(Mina Gregori, 1994)

San Giovannino al fonte
1608-1609
olio su tela, 45,5 × 65,5 cm
Roma, collezione privata.

Avvicinando il quadro romano alla redazione maltese e alla copia fiorentina, risalta nel primo, con ben altra forza, l'urgenza, che esprime fisicamente un concetto spirituale, del giovinetto assetato, appoggiato al terreno facendosi leva per bere, in un atteggiamento non consacrato dalla gestualità di tradizione classica e cinquecentesca, ma ripreso dal vivo. Consentanea a questo pensiero è la descrizione essenziale e folgorante della luce e dell'ombra, ben visibili anche nella radiografia, dove le lunghe pennellate veementi e senza incertezze rivelano, insieme ai cambiamenti di cui parleremo, che non si tratta in nessun caso di una copia e corrispondono al modo caratteristico del Caravaggio di affrontare la prima stesura di un dipinto.

Continuando nella lettura, si nota che una striscia d'ombra intensa, ma graduata divide la guancia dalla zona del naso e della bocca e pone in evidenza quest'ultima, protesa avidamente nell'atto di bere. Il concentrare l'attenzione sul momento culminante dell'azione non impedisce al pittore di evidenziare con sottigliezza, come di consueto, altri punti più intensi di luce, a contrasto con le zone di maggiore oscurità, assecondando quell'alternanza a cui il Caravaggio ricorse costantemente per dare rilievo ai corpi; mi riferisco alla linea luminosa lungo il mento, alla striscia sottile dell'incarnato che contrasta con la linea tesa del collo e al chiarore che riappare dietro la nuca e illumina la pelliccia.
(Mina Gregori, 1993)

San Giovanni Battista

1609-1610
olio su tela, 159 × 124 cm
Roma, Galleria Borghese.

Il dipinto, descritto per la prima volta dalle mediocri rime di un poemetto di S. Francucci (1613, stampato nel 1647), viene oggi considerato una delle ultime, commoventi opere del Caravaggio. I toni spenti e la profonda malinconia contrastano con l'atteggiamento virile e risentito di altre immagini del Precursore dipinte dal Merisi. Questa interpretazione critica e cronologica è tuttavia preceduta da lunghe controversie sulla data e sul significato simbolico dell'opera, come ricorda Gianni Papi (1991): "L'iconografia è indubbiamente un po' particolare; già il Francucci (1613) rilevava le membra magre e gracili, il volto gentile e scarno di questo Battista appena adolescente, dall'aria fragile e quasi malaticcia, che contrasta con il vigore trattenuto del protagonista del quadro di Kansas City (incautamente avvicinato alla tela Borghese dalla Ottino Della Chiesa) o con la riflessiva, virile maturità del Battista Corsini. E se il Venturi (1909) ne dà una descrizione fin troppo epicurea ('un bel giovane romano, amante del dolce far niente, intelligente tanto da potersi dedicare alla contemplazione'), è indubbio che una pigrizia insinuante sia leggibile nella posa studiata di questo San Giovanni che ha gli occhi stanchi, forse per la vita già troppo vissuta".

Martirio di Sant'Orsola
1610
olio su tela, 154 × 178 cm
Napoli, Banca Commerciale
Italiana.

Opera estrema, fra le ultime del maestro, porta a compimento un tragitto espressivo che, partendo dalla esplosione di violenza che sconvolge il

Martirio di San Matteo, passa progressivamente a isolare il dramma della sofferenza e della morte come spoglio rapporto tra vittima e carnefice.

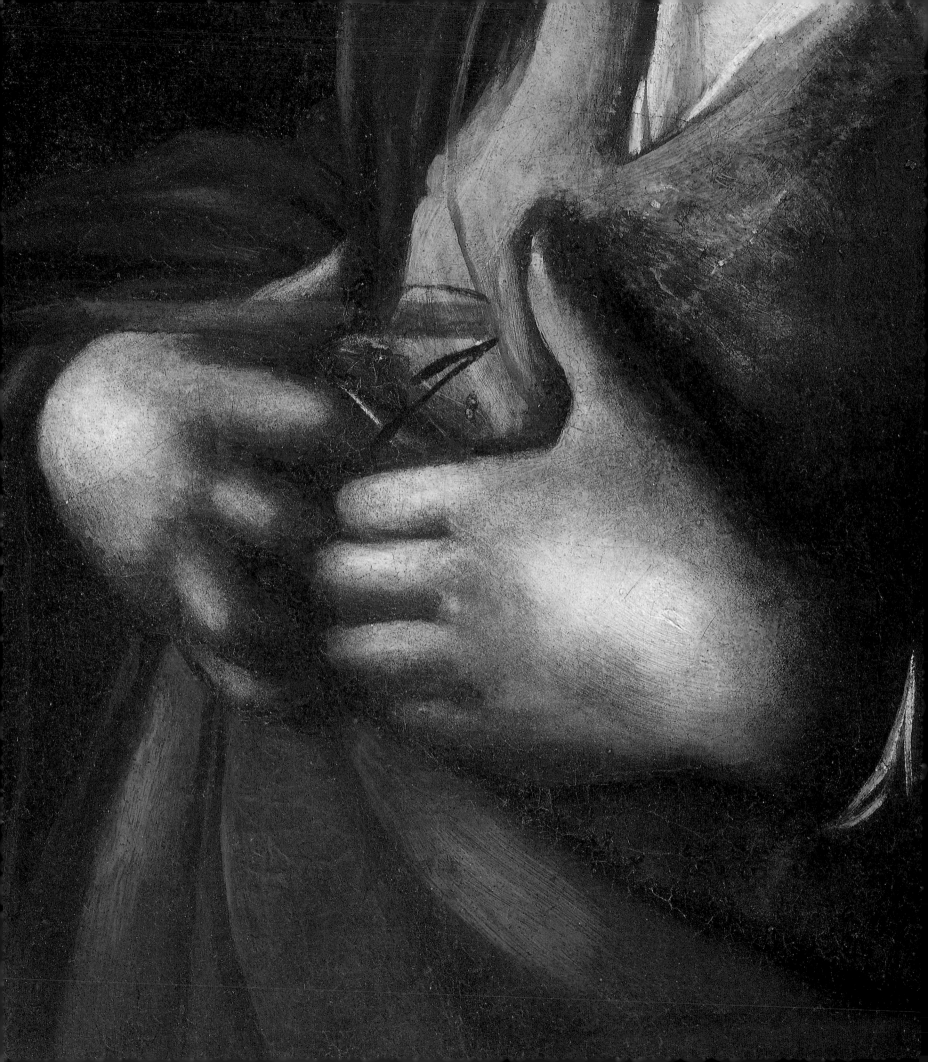

Regesto delle opere

1
**Ragazzo che monda
un frutto**
(copia)
1593 circa
olio su tela, 65 × 52 cm
Inghilterra, collezione privata.

2
Bacchino malato
1593-1594
olio su tela, 67 × 53 cm
Roma, Galleria Borghese.

3
Fruttaiolo
1593-1594
olio su tela, 70 × 67 cm
Roma, Galleria Borghese.

4
Ragazzo con vaso di rose
(copia)
1593-1594
olio su tela, 67,3 × 51,8 cm
*Atlanta (Georgia), The High
Museum of Art.*

5
Buona ventura
1593-1594
olio su tela, 115 × 150 cm
Roma, Pinacoteca Capitolina.

6
I bari
1594 circa
olio su tela, 94,2 × 130,9 cm
*Fort Worth (Texas), Kimbell Art
Museum.*

7
Musica di alcuni giovani
1595 circa
olio su tela, 87,9 × 115,9 cm
*New York, The Metropolitan
Museum of Art.*

8
Maddalena
1594-1595
olio su tela, 122,5 × 98,5 cm
Roma, Galleria Doria Pamphilj.

17
Testa di Medusa
olio su tela, 60 × 55 cm
(misure massime)
Firenze, Uffizi.

18
Fillide
(perduto)
1596-1597 circa
olio su tela, 66 × 53 cm
Già Berlino, Kaiser Friedrich Museum.

19
Giove, Nettuno e Plutone
1597 circa
olio su muro, 300 × 180 cm circa
Roma, villa Boncompagni Ludovisi già Del Monte.

20
San Giovanni Battista
1597-1598 circa
olio su tela, 169 × 112 cm
Toledo, Museo della Cattedrale.

21
Sacrificio di Isacco
1597-1598 circa
olio su tela, 116 × 173 cm
Princeton (New Jersey), collezione Barbara Piasecka Johnson.

22
Vocazione dei Santi Pietro e Andrea
(copia)
1597-1598 circa
olio su tela, 132 × 163 cm
Hampton Court Palace, Royal Gallery.

23
Conversione della Maddalena
1597-1598 circa
olio su tela, 97,8 × 132,7 cm
Detroit (Mich.), The Detroit Institute of Arts.

24
Canestra di frutta
1597-1598 circa
olio su tela, 46 × 64,5 cm
Milano, Pinacoteca Ambrosiana.

25
Davide e Golia
1597-1598 circa
olio su tela, 110 × 91 cm
Madrid, Prado.

26
**Santa Caterina
d'Alessandria**
1598-1599 circa
olio su tela, 173 × 133 cm
*Madrid, collezione Thyssen
Bornemisza.*

27
**Ritratto di Monsignor
Maffeo Barberini**
1598-1599
olio su tela, 124 × 90 cm
Firenze, collezione privata.

28
Cristo alla colonna
(copia)
1598-1599 circa
olio su tela, 140 × 106 cm
*Cantalupo Sabino (Rieti), palazzo
Camuccini.*

29
Giuditta e Oloferne
1599 circa
olio su tela, 145 × 195 cm
*Roma, Galleria Nazionale d'Arte
Antica, Palazzo Barberini.*

30
Martirio di San Matteo
1599-1600
olio su tela, 323 × 343 cm
*Roma, chiesa di San Luigi dei
Francesi.*

31
Vocazione di San Matteo
1599-1600
olio su tela, 322 × 340 cm
*Roma, chiesa di San Luigi dei
Francesi.*

32
Conversione di San Paolo
1600-1601
*olio su tavola di cipresso,
237 × 189 cm*
Roma, collezione privata.

33
Martirio di San Pietro
1600-1601
olio su tela, 230 × 175 cm
Roma, chiesa di Santa Maria
del Popolo.

34
Conversione di San Paolo
1600-1601
olio su tela, 230 × 175 cm
Roma, chiesa di Santa Maria
del Popolo.

35
Incredulità di San Tommaso
1600-1601
olio su tela, 107 × 146 cm
Potsdam-Sanssouci, Bildergalerie.

36
Cena in Emaus
1601
olio su tela, 141 × 196,2 cm
Londra, National Gallery.

37
Incoronazione di spine
1600-1602
olio su tela, 178 × 125 cm
Prato, Cassa di Risparmio di Prato.

38
Amore vincitore
1601-1602
olio su tela, 191 × 148 cm
Berlino, Staatliche Museen,
Gemäldegalerie.

39
San Matteo e l'angelo
(perduto)
1602
olio su tela, 223 × 183 cm
Già Berlino, Kaiser Friedrich Museum.

40
San Matteo e l'angelo
1602
olio su tela, 295 × 195 cm
Roma, chiesa di San Luigi
dei Francesi.

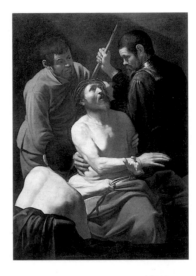

41
San Giovanni Battista
1602
olio su tela, 131 × 98,6 cm
Roma, Musei Capitolini.

42
Cattura di Cristo
1602
olio su tela, 133,5 × 169,5 cm
Dublino, The National Gallery
of Ireland.

43
Deposizione
1602-1604
olio su tela, 300 × 203 cm
Roma, Pinacoteca Vaticana.

44
Sacrificio di Isacco
1603 circa
olio su tela, 104 × 135 cm
Firenze, Uffizi.

45
Incoronazione di spine
1603 circa
olio su tela, 127 × 165,5 cm
Vienna, Kunsthistorisches Museum,
Gemäldegalerie.

46
San Giovanni Battista
1603-1604
olio su tela, 173,4 × 132,1 cm
Kansas City (Texas), Museum
Nelson-Atkins of Art.

47
San Giovanni Battista
1603-1604 circa
olio su tela, 94 × 131 cm
Roma, Galleria Corsini.

48
Madonna dei pellegrini
1604-1606 circa
olio su tela, 260 × 150 cm
Roma, chiesa di Sant'Agostino.

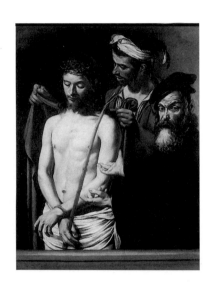

57
**San Francesco
in meditazione**
1605-1606
*olio su tela, 130 × 90 cm
Cremona, Museo Civico.*

58
Cena in Emaus
1606 circa
*olio su tela, 141 × 175 cm
Milano, Pinacoteca di Brera.*

59
Santa Maria Maddalena
(copia)
1606 circa
*olio su tela, 106,5 × 91 cm
Roma, collezione privata.*

60
Madonna del Rosario
1606-1607
*olio su tela, 364,5 × 249,5 cm
Vienna, Kunsthistorisches Museum,
Gemäldegalerie.*

61
Sette opere di misericordia
1606-1607
*olio su tela, 390 × 260 cm
Napoli, Pio Monte
della Misericordia.*

62
Giuditta decapita Oloferne
(copia)
1607
*olio su tela, 140 × 160 cm
Napoli, Raccolte del Banco
di Napoli.*

63
Flagellazione di Cristo
1607
*olio su tela, 135,5 × 175,5 cm
Rouen, Musée des Beaux-Arts.*

64
**Sacra Famiglia con San
Giovannino**
1607
*olio su tela, 117,5 × 95,9 cm
Caracas, collezione Clara Otero
Silva.*

65
**Salomè con la testa
del Battista**
1607
olio su tela, 91,5 × 106,7 cm
Londra, National Gallery.

66
**San Gennaro mostra
le sue reliquie**
(copia)
1607
olio su tela, 126,5 × 92,5 cm
*New York, collezione Morton
B. Harris.*

67
San Sebastiano
(copia)
1607
olio su tela, 170 × 120 cm
Roma, collezione privata.

68
David con la testa di Golia
1607
*olio su tavola di pioppo,
90,5 × 116,5 cm*
*Vienna, Kunsthistorisches Museum,
Gemäldegalerie.*

69
Flagellazione di Cristo
1607
olio su tela, 286 × 213 cm
Napoli, Museo di Capodimonte.

70
**Crocifissione
di Sant'Andrea**
1607 circa
*olio su tela di lino,
202,5 × 152,7 cm*
*Cleveland (Ohio), The Cleveland
Museum of Art.*

71
**Ritratto di Alof
de Wignacourt con un
paggio**
1608 circa
olio su tela, 195 × 134 cm
Parigi, Louvre.

72
San Gerolamo
1608
olio su tela, 117 × 157 cm
*La Valletta (Malta), Co-Cattedrale
di San Giovanni, oratorio.*

73
Decollazione di San Giovanni Battista
1608
olio su tela, 361 × 520 cm
La Valletta (Malta), Co-Cattedrale di San Giovanni, oratorio.

74
Amorino dormiente
1608-1609
olio su tela, 71 × 105 cm
Firenze, Galleria Palatina.

75
Ritratto di un cavaliere di Malta
1608-1609
olio su tela, 118,5 × 95 cm
Firenze, Galleria Palatina.

76
Cavadenti
1608-1609
olio su tela, 139,5 × 194,5 cm
Firenze, Galleria Palatina.

77
San Giovannino al fonte
1608-1609
olio su tela, 45,5 × 65,5 cm
Roma, collezione privata.

78
Seppellimento di Santa Lucia
1608-1609 circa
olio su tela, 408 × 300 cm
Siracusa, chiesa di Santa Lucia.

79
Resurrezione di Lazzaro
1608-1609
olio su tela, 380 × 275 cm
Messina, Museo Regionale.

80
Adorazione dei pastori
1609
olio su tela, 314 × 211 cm
Messina, Museo Regionale.

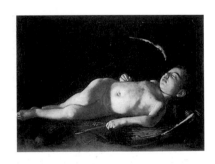

81
Ecce Homo
(copia)
1609 circa
olio su tela, 77,7 × 101,8 cm
Collezione privata.

82
**Salomè con la testa
del Battista**
1609 circa
olio su tela, 116 × 140 cm
Madrid, Palazzo Reale.

83
Annunciazione
1609 circa
olio su tela, 285 × 205 cm
Nancy, Musée des Beaux-Arts.

84
Natività
(trafugato nel 1969)
1609
olio su tela, 268 × 197 cm
*Già Palermo, Oratorio di San
Lorenzo.*

85
Davide con la testa di Golia
1605-1606 (o 1610)
olio su tela, 125 × 101 cm
Roma, Galleria Borghese.

86
Negazione di San Pietro
1609-1610
olio su tela, 94 × 125,5 cm
New York, collezione privata.

87
San Giovanni Battista
1609-1610
olio su tela, 159 × 124 cm
Roma, Galleria Borghese.

88
Martirio di Sant'Orsola
1610
olio su tela, 154 × 178 cm
*Napoli, Banca Commerciale
Italiana.*

156

Biografia
Gianni Papi

Capillari indagini e plausibili considerazioni suggeriscono che Michelangelo Merisi sia nato il giorno di San Michele Arcangelo (29 settembre) del 1571 a Milano, città nella quale in quel tempo si doveva trovare il padre Fermo, con la moglie Lucia Aratori, per svolgervi il suo lavoro di architetto-soprintendente agli edifici di proprietà del marchese di Caravaggio. Fin dalla nascita sembra chiara la trama di protezioni che accompagnerà il pittore per tutta la sua esistenza: testimone al matrimonio fra Lucia e Fermo Merisi, avvenuto il 14 gennaio 1571, era infatti stato proprio il marchese Francesco I Sforza da Caravaggio, in segno di benevolenza verso il suo dipendente. Se si osserva l'albero genealogico e le parentele del nobile, dove ricorrono le famiglie dei Borromeo, dei Colonna e dei Doria, apparirà chiara l'origine dei ripetuti rapporti del Merisi con personaggi di queste casate, che costantemente sembrano aver sorvegliato e spesso risolto i passaggi più drammatici del travagliato percorso vitale del pittore.

Dopo i terribili anni della peste, che nel 1577 resero vedova Lucia, il 6 aprile 1584 si decide molto del futuro destino del Caravaggio: l'adolescente viene collocato presso la bottega milanese di Simone Peterzano, col quale sarà stretto un contratto della durata di quattro anni, durante i quali il maestro si impegnava a fare del Merisi un pittore capace di lavorare in proprio. Non è noto se, a conclusione di questo apprendistato, nel 1588, il Caravaggio sia rimasto a Milano o se sia tornato subito nel paese di origine della sua famiglia – da cui prenderà il celeberrimo soprannome –, dove egli è comunque documentato più volte fra il 1589 e il 1592, in occasione di vendite della sua parte ereditaria: fatti che lasciano presumere un'agitata condotta di vita già nella prima giovinezza, come peraltro suggeriscono anche alcuni passi – non chiarissimi – delle postille autografe del Mancini alla biografia da lui dedicata al pittore (1617-1621 circa). È presumibile che dopo l'atto della definitiva liquidazione della sua eredità, l'11 maggio 1592, il Caravaggio sia partito per Roma, dove il conseguente arrivo sembra essere in linea con quanto è riportato dal Mancini ("d'età incirca 20 anni").

Dei primi tempi romani del pittore rimangono solo le testimonianze dei biografi, che tramandano sequenze di rapporti artistici brevi e occasionali, di contrasti e di impieghi umilianti, che coinvolgono personaggi come: Pandolfo Pucci, maestro di casa di Camilla Peretti, soprannominato dal Merisi "Monsignor Insalata"; un oscuro pittore siciliano di nome Lorenzo; un priore spagnolo che ricovererà il Caravaggio in occasione di una malattia contratta a seguito di un grave momento di indigenza; monsignor Petrignani, che stava in un palazzo della parrocchia di San Salvatore in Lauro; e due artisti importanti come Antiveduto Gramatica e il Cavalier d'Arpino, presso il quale il Merisi rimarrà diversi mesi, impiegato soprattutto a dipingere fiori e frutta, motivo questo, stando al Bellori (1672), di frustrazione per il pittore, che si sentiva "tolto alle figure" e che tramite l'aiuto di un nuovo amico, Prospero Orsi, si sarebbe infine deciso a tentare di mettersi in proprio. Estremamente complicato è situare all'interno di queste confuse esperienze la prima produzione del Merisi, che comprende con tutta probabilità opere come il *Mondafrutto* (noto attraverso copie), il *Bacchino malato* e il *Fruttaiolo* della Borghese. Al periodo di rischiosa indipendenza professionale, sponsorizzata da Prospero Orsi, appartengono forse la *Buona ventura* della Capitolina, dipinta su una precedente composizione arpinesca, e i *Bari* di Fort Worth, che potrebbero anche essere stati le migliori carte da visita per colpire l'interesse del futuro e più importante protettore degli anni giovanili del Merisi, il cardinale Francesco Maria del Monte, ambasciatore dei Medici a Roma, che lo ospiterà per un lustro nel suo palazzo. Quest'importante svolta nella vita del Caravaggio avviene probabilmente nel 1595, dopo il controverso soggiorno presso monsignor Petrignani – al tempo del quale il Mancini sembra far risalire l'esecuzione di opere come il *Riposo* e la *Maddalena* Doria –, e sarà l'inizio del periodo più tranquillo, e forse anche più felice, della vita del Merisi, impegnato a dipingere per il suo protettore, e per gli amici di questi, una serie di dipinti che rimangono fra i più caratteristici della fase cinquecentesca del pittore. Fra le opere che ci sono pervenute saranno senz'altro da ricordare la *Medusa* degli Uffizi – donata al Granduca di Toscana –, la *Musica di alcuni giovani* del Metropolitan Museum, un "S. Francesco in estasi" (probabilmente l'esemplare di Hartford), le due versioni del *Suonatore di liuto* (Wildenstein e Ermitage, quest'ultima eseguita per il marchese Giustiniani), la *Santa Caterina* Thyssen, il dipinto murale del casino Del Monte, raffigurante *Giove, Nettuno e Plutone*. Ma appartengono a questi anni fervidi, in cui avanza lo stile maturo del Merisi – quella sua propensione a "ingagliardire gli scuri" – anche altre opere decisive come la *Conversione della Maddalena* (commissionata probabilmente dal banchiere genovese Ottavio Costa) e *Giuditta che decapita Oloferne* della Barberini (eseguita sicuramente per il medesimo personaggio). Tramite il cardinal del Monte e le sue relazioni con la Francia, il Merisi ebbe la sua prima commissione pubblica: il 23 luglio 1599 infatti il pittore firma il contratto per due tele laterali da collocare nella cappella Contarelli della chiesa di San Luigi dei Francesi, posta dirimpetto alla residenza del porporato, l'odierno Palazzo Madama. Le due tele, raffiguranti la *Vocazione* e il *Martirio di San Matteo*, furono consegnate con qualche mese di ritardo – probabilmente per il furioso travaglio compositivo che ben risulta dalle radiografie del *Martirio* –, comunque esse dovevano già essere in sede il 4 luglio 1600. Con questo clamoroso esordio sulla scena pubblica romana ha inizio il movimento caravaggesco e il travolgente successo professionale del Merisi, che nel breve volgere di una manciata di mesi sarà al centro di altre prestigiose commissioni religiose. Il 5 aprile 1600 il pittore firma il contratto per una pala – la cui identificazione è tuttora controversa e per la maggior parte degli studiosi ancora ignota; da ricordare che Maurizio Calvesi riconosce in essa la *Deposizione* oggi alla Pinacoteca Vaticana – da eseguire per il cittadino senese Fabio de Sartis e che verrà saldata il 20 novembre 1600, quando il Merisi abita ancora presso il Del Monte. Il 24 settembre 1600 monsignor Tiberio Cerasi affida al Caravaggio la realizzazione di altri due capolavori: le tele laterali, raffiguranti la *Crocifissione di San Pietro* e la *Conversione di San Paolo*, per la cappella del committente in Santa Maria del Popolo, consegnate con notevole ritardo il 10 novembre 1601, dopo varie vicissitudini, quali il rifiuto, o l'insoddisfazione del pittore, verso le prime versioni, una delle quali è verosimilmente da identificare nella *Conversione di San Paolo*, su tavola, in collezione Odescalchi-Balbi. Il 14 giugno 1601 il giurista Laerzio Cherubini di Norcia richiede al Merisi una pala per la propria cappella in Santa Maria della Scala: sarà la *Morte della Madonna* (Parigi, Louvre), la cui esecuzione dovette protrarsi per un lungo periodo, dal momento che l'opera, stilisticamente, sembra appartenere alla fase estrema del soggiorno romano e collocarsi quindi in prossimità del rifiuto da parte dei carmelitani di Santa Maria della Scala e del successivo acquisto del duca di Mantova, nella primavera del 1607 (col Caravaggio già lontano da Roma).

Al grande successo pubblico corrisponde un identico favore sul versante delle commissioni private: collezionisti che già si erano interessati al Merisi rinnovano le loro richieste. Così per il marchese Giustiniani, che acquisterà fra l'altro la prima versione rifiutata del *San Matteo e l'angelo* (già Berlino, Kaiser Friedrich Museum), realizzata a completamento della decorazione della cappella Contarelli (la seconda redazione della pala d'altare verrà consegnata fra la fine del 1602 e l'inizio del 1603), il Caravaggio sarà più volte operoso, fornendo dipinti dalle qualità pittoriche altissime come l'*Amore vincitore* oggi a Berlino e l'*Incredulità di San Tommaso* di Potsdam; e per il banchiere Costa il Merisi eseguirà ancora il *San Giovanni Battista* oggi a Kansas City. A questi collezionisti si aggiungono all'inizio del Seicento altri appassionati, come Ciriaco Mattei, parente del cardinale Gerolamo Mattei, presso il quale il pittore risulta residente al tempo della stipula del contratto Cherubini (giugno 1601, quando era evidentemente già finito il sodalizio col Del Monte): per Ciriaco il Caravaggio eseguì la *Cena in Emaus* della National Gallery di Londra (saldata probabilmente il 7 gennaio 1602), la *Presa di Cristo nell'orto* recentemente ritrovata a Dublino (2 gennaio 1603) e il *San Giovanni Battista* della Pinacoteca Capitolina. E per il Cardinale Maffeo Barberini, il futuro Papa Urbano VIII, il pittore eseguì un intenso ritratto del porporato (Firenze, collezione privata) e, fra il 20 maggio 1603 e l'8 gennaio 1604, il *Sacrificio d'Isacco* oggi agli Uffizi. Sono questi gli anni del sodalizio col giovane Francesco Boneri, più noto col soprannome di Cecco del Caravaggio, che, appena adolescente, accompagnerà il Merisi nel suo ultimo lustro romano, vivendo con lui come garzone e offrendo le proprie sembianze a numerosi personaggi dei quadri del suo maestro: dall'*Amore vincitore* al *San Giovannino* della Capitolina, fino al *David* della Galleria Borghese.

Col raggiungimento del successo, nella vita del Merisi riemergono quelle intemperanze sociali di cui il pittore doveva essere già stato protagonista negli anni trascorsi in Lombardia. Si tratta di un vero e proprio crescendo, che si contrappone alla quiete del soggiorno trascorso presso il Del Monte. Ma già in prossimità della conclusione di questo comincia la serie dei misfatti: il 19 novembre 1600 il Caravaggio aggredisce, con bastonate e un colpo di spada, tale Girolamo Stampa. Da lì la sequenza delle denunce, delle aggressioni, delle

oscenità prosegue con episodi sempre più ravvicinati. Fra questi sono da ricordare, in data 28 agosto 1603, la denuncia del Baglione e il famoso processo che ne seguì, che vide schierati il biografo-pittore e l'amico Tommaso Salini contro il Caravaggio e i suoi amici, rei di avere scritto e diffuso alcuni sonetti infamanti verso il Baglione; la querela (24 aprile 1604) da parte di Pietro Fusaccia del Lago Maggiore, che accusa il Merisi di avergli tirato un piatto di carciofi e di averlo colpito al volto; l'aggressione, denunciata il 29 luglio 1605, al notaio Mariano Pasqualone, rimasto ferito alla testa in piazza Navona. La conseguenza di quest'ultimo crimine sarà la fuga da Roma e il riparo per circa un mese a Genova, presso Giovanni Andrea Doria e Giovanna Colonna: è in questa occasione che il pittore rifiuta di affrescare la loggia del Casino di Sampierdarena, per la quale avrebbe ricevuto il considerevole compenso di seimila scudi. Tornato a Roma il 26 agosto in seguito al ritiro della denuncia da parte del notaio, il Merisi è ben presto chiamato in causa per nuove intemperanze: il primo settembre 1605 Prudenzia Bruna, padrona della casa nel vicolo dei Santi Cecilia e Biagio nella quale il Merisi viveva insieme al Boneri, denuncia il pittore che, per rifarsi del sequestro dei suoi effetti personali operato dalla donna per garantirsi di sei mesi di affitto non pagati, le aveva rotto a sassate le gelosie della finestra. Ma proprio in questo periodo di forte tensione, dopo tre anni in cui apparentemente il pittore sembra non aver più avuto importanti commissioni pubbliche, egli è nuovamente chiamato ai grandi impegni in due circostanze: con la *Madonna dei pellegrini* per la chiesa di Sant'Agostino, che dovette essere consegnata qualche mese prima del marzo 1606, e soprattutto con la *Madonna dei palafrenieri*, commissionata dai membri dell'omonima confraternita per il nuovo altare loro assegnato nella basilica di San Pietro. Quest'ultima pala fu consegnata probabilmente nel marzo 1606, ma appena un mese dopo la collocazione sull'altare essa veniva ritirata e trasferita nella chiesa di Sant'Anna dei Palafrenieri (da dove due mesi più tardi per acquisto passerà nella collezione del cardinale Scipione Borghese), probabilmente a causa dello scandalo cui dava luogo una raffigurazione così prepotentemente naturalistica in una sede ufficiale come quella della basilica petriana.
Fra querele e scandali artistici, matura il tempo di una tragica svolta nella vita del pittore: il 28 maggio 1606, durante una rissa al gioco della pallacor-

da fra due gruppi di quattro amici ciascuno, l'uno capeggiato dal Merisi, l'altro da Ranuccio Tomassoni da Terni, il Caravaggio uccide quest'ultimo, rimanendo egli stesso ferito. Il pittore, che per il delitto riceverà la terribile condanna al bando capitale (chiunque e in qualsiasi luogo avrebbe potuto eseguire la sentenza di morte), si rifugerà nei feudi laziali della famiglia Colonna, non è ancora stato chiarito se a Paliano o a Zagarolo. Durante la convalescenza sui colli albani il Caravaggio dipinse una *Maddalena*, non rintracciata e nota forse attraverso numerose copie, e con tutta probabilità la *Cena in Emaus* oggi a Brera. Appena il tempo di rimettersi in salute e il Merisi abbandona il suo rifugio colonnese, per ricominciare la propria carriera artistica nell'altro grande centro che avrebbe potuto offrirgli importanti occasioni di lavoro, cioè Napoli. Il Caravaggio vi giunge fra il 23 settembre – quando risulta a Paliano – e il 6 ottobre – quando firma il contratto per la sua prima pala d'altare partenopea, commissionata da Niccolò Radolovich, non identificata –, probabilmente scortato da qualche influente presentazione, ottenuta tramite la rete di parentele che legavano i Colonna alla nobile famiglia napoletana dei Carafa. L'immediato successo e la prodigiosa velocità di esecuzione sono confermati dal susseguirsi di altre due prestigiose commissioni pubbliche: il 9 gennaio 1607 è già conclusa la pala con le *Sette opere di misericordia* per l'altar maggiore del Pio Monte della Misericordia e l'11 maggio riceve l'acconto per la *Flagellazione*, da collocarsi nella cappella De Franchis in San Domenico Maggiore. Anche se non è documentata, è prevalentemente assegnata a questo breve volgere di mesi anche un'altra grande pala d'altare, quella della *Madonna del Rosario* (oggi a Vienna, Kunsthistorisches Museum), che si trovava in vendita sul mercato napoletano il 25 settembre 1607, quando veniva acquistata dal Duca di Mantova Vincenzo I Gonzaga.

Non sono ancora chiari i motivi che spinsero il Merisi ad abbandonare Napoli – dove il successo lo aveva da subito accompagnato – alla volta dell'isola di Malta, che ne registra la presenza già il 22 luglio 1607: il Baglione (1642) ricorda che "era il Caravaggio desideroso di ricevere la croce di Malta", ma è probabile che a spingerlo fossero anche i progetti di abbellimento della Co-Cattedrale di San Giovanni avviati dal Gran Maestro Alof de Wignacourt. Non si hanno molte notizie della permanenza maltese: il conferimento della sospirata

investitura il 14 luglio 1608 testimonierebbe una permanenza non breve, a cui corrispondono invece poche opere (considerata la febbrile attività del Merisi, il che ha fatto anche pensare alla possibilità di un ritorno a Napoli nell'arco dell'anno). Appartengono a questo periodo la grande *Decollazione del Battista* (l'unica opera firmata del pittore, terminata probabilmente quando egli era già Cavaliere, visto che la firma è preceduta dalla "f" di fra), il *San Gerolamo scrivente* (entrambi rimasti in loco), il piccolo *Amore dormiente* della Palatina di Firenze e due *Ritratti di Alof de Wignacourt*, uno dei quali è verosimilmente da identificare con quello del Louvre. Il soggiorno maltese si interruppe drammaticamente per un fatto imprevisto e grave che condusse in carcere il Caravaggio: i biografi parlano dell'"affronto" a un cavaliere di giustizia; certo non dovette trattarsi dell'arrivo sull'isola della notizia dell'omicidio Tomassoni, poiché sembra chiaro, da un documento recuperato recentemente, che al momento di conferire al pittore l'investitura a cavaliere il Gran Maestro fosse pienamente consapevole del suo passato.

All'inizio di ottobre una nuova fuga per mare dalle carceri maltesi, certo favorita da qualche protettore del Merisi (probabilmente Fabrizio Colonna, generale delle galere dell'isola), porta il Merisi in Sicilia, a Siracusa, dove è probabile che egli fosse già nell'autunno del 1608. Qui ottiene, forse tramite i buoni uffici dell'amico pittore Mario Minniti, la commissione di una grande pala d'altare: il *Seppellimento di Santa Lucia*. Il 10 giugno 1609 troviamo il Caravaggio a Messina, il giorno in cui avviene la consegna della *Resurrezione di Lazzaro* ai padri Crociferi da parte del committente genovese Giovan Battista de' Lazzari. Non è invece documentata l'esecuzione dell'altra grande pala messinese, l'*Adorazione dei pastori*, che il Susinno (1724) dice ordinata dal Senato cittadino per l'altar maggiore della chiesa dei Cappuccini.

Un'altra partenza imprevista e frettolosa – i cui motivi rimangono oscuri – porta il Merisi a Palermo, città nella quale avrebbe dipinto, stando al Susinno, "opere notevoli", ma di cui ci è nota sicuramente solo la grande *Adorazione dei pastori con San Lorenzo e San Francesco*, trafugata nel 1969 dall'oratorio di San Lorenzo e non ancora recuperata. Ma il 24 ottobre 1609 il pittore è nuovamente a Napoli, dove da un 'avviso' spedito da Roma al Duca di Urbino risulta ucciso o sfregiato sulla soglia dell'osteria del Cerriglio. È questa inquietante

notizia – che il Baglione mette in relazione con le agitate vicende maltesi e lo sgarbo al cavaliere di giustizia – l'unica traccia, insieme ai pagamenti del *Martirio di Sant'Orsola* (già ultimato l'11 maggio 1610) eseguito per il principe genovese Marcantonio Doria, della nuova permanenza partenopea del Caravaggio, durante la quale potrebbe scalarsi l'esecuzione di numerose opere: le tele per la cappella Fenaroli in Sant'Anna dei Lombardi, perdute, e una serie di dipinti non documentati, che oscillano, secondo i pareri contrastanti degli studiosi, fra soggiorno maltese, siciliano e deuteronapoletano: il *Cavadenti* della Palatina, la *Negazione di San Pietro* in collezione privata, il *San Giovanni Battista* Borghese, la *Salomè* di Madrid, la *Crocifissione di San Pietro* di Cleveland, l'*Annunciazione* di Nancy. L'epilogo dell'esistenza del Merisi avviene nell'estate del 1610. I numerosi protettori del pittore erano riusciti a fargli ottenere la grazia da parte di Papa Paolo V. Ciò doveva consentire al Caravaggio un tranquillo ritorno da Napoli nella città pontificia; ma qualcosa (molto ci sfugge di questi ultimi giorni e le cinque lettere al Cardinale Scipione Borghese, tornate recentemente alla luce, rendono la vicenda ancor più inquietante, invece di chiarirla) dovette andare storto. La feluca su cui il pittore era imbarcato, presumibilmente carica anche di tutti i suoi beni, fu fermata a Palo, qualche chilometro a nord della foce del Tevere, e il Merisi venne incarcerato. Stando alle lettere inviate dal Nunzio Apostolico nel Regno di Napoli, Deodato Gentile, il pittore sarebbe poi riuscito a ritrovare la libertà tramite il pagamento di una grossa cauzione e "per terra e forse à piedi si ridusse sino à porthercole, ove ammalatosi ha lasciato la vita": a Porto Ercole dunque il Merisi moriva il 18 luglio 1610, come ricordano anche i due epitaffi dell'amico giureconsulto Marzio Milesi. Nel suo ritorno a Roma il Caravaggio portava con sé sicuramente alcuni quadri: nella prima lettera si parla di una "Madalena" e di "doi S. Giovanni". È certo che il "S. Giovanni Battista" che compare nelle lettere più tarde, del dicembre 1610 e dell'agosto 1611, fu rivendicato con successo da Scipione Borghese ed è quello che tuttora è conservato nell'omonima galleria romana.

Si ringraziano l'Agenzia Scala di Firenze e gli archivi fotografici dei seguenti Musei per aver cortesemente messo a disposizione materiale fotografico: Collezione Thyssen-Bornemisza, Madrid; Kimbell Art Museum, Fort Worth (Collezione Wildenstein); Musée des Beaux-Arts, Rouen; National Gallery, Londra; The Metropolitan Museum of Art, New York.

Questo volume è stato stampato dalla Elemond S.p.a. presso lo stabilimento di Martellago (Venezia)